総合判例研究叢書

商　法（8）

保険契約における告知義務……中 西 正 明

有　斐　閣

序

フランスにおいて、自由法学の名とともに判例の研究が異常な発達を遂げているのは、その民法典が百五十余年の齢を重ねたからだといわれている。それに比較すると、わが国の諸法典は、まだ若い。最も古いものでも、六、七十年の年月を経たに過ぎない。しかし、わが国の諸法典は、いずれも、近代的法制を全く知らなかつたところに輸入されたものである。そのことを思えば、この六十年の間に極めて重要な判例の変遷があつたであろうことは、容易に想像がつく。事実、わが国の諸法典は、それに関連する判例の研究でこれを補充しなければ、その正確な意味を理解し得ないようになつている。

判例が法源であるかどうかの理論については、今日なお議論の余地があろう。しかし、実際問題として、多くの条項が判例によつてその具体的な意義を明らかにされているばかりでなく、判例によつて特殊の制度が創造されている例も、決して少なくはない。判例研究の重要なことについては、何人も異議のないことであろう。

判例の創造した特殊の制度の内容を明らかにするためにはもちろんのこと、判例によつて明らかにされた条項の意義を探るためにも、判例の総合的な研究が必要である。同一の事項についてのすべての判決を探り、取り扱われる事実の微妙な差異に注意しながら、総合的・発展的に研究するのでなければ、判例の研究は、決して終局の目的を達することはできない。そしてそれには、時間をかけた克明な努力を必要とする。

幸なことには、わが国でも、十数年来、そうした研究の必要が感じられ、優れた成果も少なくないようになつた。いまや、この成果を集め、足らざるを補ない、欠けたるを充たし、全分野にわたる研究を完成すべき時期に際会している。

かようにして、われわれは、全国の学者を動員し、すでに優れた研究のできているものについては、その補訂を乞い、まだ研究の尽されていないものについては、新たに適任者にお願いして、ここに「総合判例研究叢書」を編むことにした。第一回に発表したものは、各法域に亘る重要な問題のうち、研究成果の比較的早くでき上ると予想されるものである。これに洩れた事項でさらに重要なもののあることは、われわれもよく知つている。やがて、第二回、第三回と編集を継続して、完全な総合判例法の完成を期するつもりである。ここに、編集に当つての所信を述べ、協力される諸学者に深甚の謝意を表するとともに、同学の士の援助を願う次第である。

昭和三十一年五月

編集代表

小野清一郎　宮沢俊義

末川　博　我妻　栄

中川善之助

凡例

一　判例の重要なものについては、判旨、事実、上告論旨等を引用し、各件毎に一連番号を附した。

二　判例年月日、巻数、頁数等を示すには、おおむね左の略号を用いた。

大判大五・一一・八民録二二・二〇七七（大審院判決録）

（大正五年十一月八日、大審院判決、大審院民事判決録二十二輯二〇七七頁）

大判大一四・四・二三刑集四・二六二（大審院判例集）

最判昭二二・一二・一五刑集一・一・八〇（最高裁判所判例集）

（昭和二十二年十二月十五日、最高裁判所判決、最高裁判所刑事判例集一巻一号八〇頁）

大判昭二・一二・六新聞二七九一・一五（法律新聞）

大判昭三・九・二〇評論一八民法五七五（法律評論）

大判昭四・五・二二裁判例三刑法五五（大審院裁判例）

福岡高判昭二六・一二・一四刑集四・一四・二一一四（高等裁判所判例集）

大阪高判昭二八・七・四下級民集四・七・九七一（下級裁判所民事裁判例集）

最判昭二八・二・二〇行政例集四・二・二三一（行政事件裁判例集）

名古屋高判昭二五・五・八特一〇・七〇（高等裁判所刑事判決特報）

東京高判昭三〇・一〇・二四東京高時報六・二民二四九（東京高等裁判所判決時報）

札幌高決昭二九・七・二三高裁特報一・二・七一（高等裁判所刑事裁判特報）
前橋地決昭三〇・六・三〇労民集六・四・三八九（労働関係民事裁判例集）
その他に、例えば次のような略語を用いた。
裁判所時報＝裁　時　家庭裁判所月報＝家裁月報
判例時報＝判　時　判例タイムズ＝判　タ

目次

保険契約における告知義務

中西正明

保険契約における告知義務

中西正明

はしがき

本書は「保険契約における告知義務」と題しているが、実は生命保険の告知義務に関する判例だけを取扱つている。告知義務制度は損害保険においても認められることはいうまでもないが、告知義務に関する判例は大部分生命保険に関するものであつて、生命保険の告知義務については、重要な問題はほとんどすべて判例で扱われており、判例告知義務法ともいうべきものが形成されている。これに対し、損害保険の告知義務に関する判例は極めて少数であつて、綜合的な研究を試みるには足りない。その上、同じく告知義務といつても、生命保険と損害保険とでは、両者の性質の相違から、別個に考察するのを適当とする問題が少なくない。このような理由から、本書では生命保険の告知義務に関する判例に限定して考察することとしたのである。

本書では、生命保険の告知義務に関する判例を体系的に研究している。そのため、判例のない問題についても、大体通説の説くところに従い、必要最少限度の説明をしておいた。

なお、本書の執筆については、判例の検索の面で、小町谷・伊沢両博士の商事判例集、青谷和夫氏の保険判例集及び第一法規の判例体系に負うところがすこぶる多い。ここに記して、厚く感謝の意を表する。

一　序　説

一　告知義務の意義

保険契約における告知義務とは、保険契約締結の際、保険者に対して重要な事実を告げなければならず、また重要な事項について不実の事を告げてはならない義務のことである。古くは開陳責任ともいわれた。損害保険にあっては保険契約者のみがこの義務を負うが（商六四四Ⅰ）、生命保険では保険契約者のほか被保険者もこの義務を負う（商六七八Ⅰ）。

二　告知義務に関する商法の規定の概要

生命保険契約の締結に際しては、保険契約者及び被保険者は保険者に対して重要な事実を告げなければならず、また重要な事項について不実のことを告げてはならない。保険契約者又は被保険者が悪意又は重大な過失により重要な事実を告げず、又は重要な事項について不実の事を告げたときは、保険者は保険契約を解除することができる。ただし、保険者がその事実を知り又は過失によってこれを知らなかったときはこの限りでない（商六七八Ⅰ）。

この告知義務違反にもとづく保険者の解除権は、保険者が解除の原因を知ったときから一ヶ月間これを行使しないときは消滅する。契約の時から五年を経過したときも同様である（商六七八Ⅱ・六四四Ⅱ）。

告知義務違反による解除権にもとづき保険者が契約の解除をしたときは、その解除は将来に向ってのみその効力を生ずる（商六七八Ⅱ・六四五Ⅰ）。しかし、保険者は保険事故発生の後解除をした場合でも、保険金の支払をする義務を負わない。もしすでに保険金の支払をしているときは、その返還を請求することができる。ただし、保険契約者において保険事故の発生がその告げ又は告げなかつた事実にもとづかないことを証明したときは、この限りでない（商六七八Ⅱ・六四五Ⅱ）。

三　告知義務に関する商法の規定の沿革

告知義務に関する商法の規定、すなわち右にあげた商法六四四条、六四五条及び六七八条は、明治四四年の商法の一部改正によつて、現在のような内容になつたものである。明治三二年の商法制定の当初においては、告知義務に関する規定はつぎの通りであつた。特に告知義務違反の効果として契約が無効となる旨を定めていた点で、現行規定と異なっている。

第三九八条　「保険契約ノ当時保険契約者カ悪意又ハ重大ナル過失ニ因リ重要ナル事実ヲ告ケス又ハ重要ナル事項ニ付キ不実ノ事ヲ告ケタルトキハ其契約ハ無効トス但保険者カ其事実ヲ知リ又ハ之ヲ知ルコトヲ得ヘカリシトキハ此限ニ在ラス」（これは損害保険に関する規定である）

第四二九条　「保険契約ノ当時保険契約者又ハ被保険者カ悪意又ハ重大ナル過失ニ因リ重要ナル事実ヲ告ケス又ハ重要ナル事項ニ付キ不実ノ事ヲ告ケタルトキハ其契約ハ無効トス但保険者カ其事実ヲ知リ又ハ之ヲ知ルコトヲ得ヘカリシトキハ此限ニ在ラス」（これは生命保険に関する規定である）

明治四四年の商法の一部改正（明治四四年法律七三号）により、右の三九八条は削除となり、それに代るものとして新たに三九九条ノ二及び三九九条ノ三の二ヶ条が設けられた。それぞれの内容は、現行の六四四条及び六四五条と同一である。また生命保険の告知義務に関する四二九条も改められ、現行の六七八条と同じ内容のものとなつた。

昭和一三年の商法の一部改正（昭和一三年法律七二号）では、商法総則篇及び会社篇に多数の規定が新設されたのに伴い、条文の番号が順次くり下げられ、告知義務に関する規定は、従来の三九九条ノ二が六四四条に、三九九条ノ三が六四五条に、四二九条が六七八条になった。また条文中に引用されている規定の番号も、これに応じて改められた。これがそのまま今日に至っているわけである。

四　告知義務の性質

（一）告知義務は、直接法律の規定によって生ずる義務である（【1】の判決参照）。契約当事者の意思表示にその直接の基礎を有するものではない。しかしながら、告知義務違反による法的効果は、保険契約が成立するに至ったときにのみ意味がある。けだし、告知義務違反があるときは保険者において一定の要件の下に保険契約を解除しうるのであるが、契約の解除ということは契約の成立を前提とするのでなければ無意味だからである。

（二）告知義務は、いわゆる自己義務の一種である。

私法上一般に「義務」と呼ばれるものにあっては、義務者がそれを履行しないときは、権利者において直接履行の強制をなしえ、また不履行による損害の賠償を求めうるのが普通である。告知義務も、「義務」という言葉がついている以上、一見、権利者において告知の履行を強制し又はその不履行による損害賠償の請求をなしうるものであるかのようにも思われる。しかし、告知義務の場合には、保険者は保険契約者又は被保険者に対して告知の履行を強制することはできなく、またその不履行による損害賠償の請求もなしえないとされている。告知義務違反の効果としては、保険者が一定の要件の下に契約解除権を取得するに止まるとされている。保険者が解除権を行使すれば、保険契約者側の者はその契約によって受けることを予期した利益を失うという結果になる（もっとも、これについては後述のように若干の例外がある）。従って、告知義務の場合には、その履行は単に義務者側が契約の利益を受けるための前提要件たる意味をもつに止まる。言いかえれば、告知義務の場合には、義務者がこれを履行しなければ義務者側が受けることをうべかりし利益を失う、という形においてのみ、その履行が保障されているわけである。一般に、ある者が一定の「義務」を負担しているが、権利者としてはその履行の強制及び不履行にもとづく損害賠償の請求をなしえず、その「義務」の履行は義務者側が一定の利益を受けるための前提要件たる意味を有するに止まるような場合に、かような「義務」は自己義務と呼ばれる。告知義務は自己義務の一種である。

五　告知義務制度の立法上の根拠

商法上告知義務という制度が認められている根拠については種々の学説があるが、今日では、技術説又は危険測定説と呼ばれる説が通説である。これによれば、保険制度の合理的な運営のためには、保険事故発生の蓋然率の統計的計算を基礎とし、多数の契約における危険の綜合平均化によって、支払わるべき保険金の総額と受くべき保険料の総額との間に均衡を保たせることが必要である。また従って、保険者は各契約につきその危険率を測定してこれを引受くべきか否か及びその保険料のいかんを決定することを要する。このいわゆる「危険の選択」の資料となるべき事実は、本来は保険を引受ける保険者が自己の責任において自ら調査すべきであるが、しかし実際上保険者がすべてを積極的に調査することは困難である。そこで法は、加入者をしてこれを告知せしめることにしたのであって、危険の選択の資料となる事実について正確な告知がなされていない場合に契約が解除されるのは、いわば不良の危険を排除するためである。技術説ないし危険測定説は大体このように説く（なお、この点については大森・保険法一一八頁以下、同「告知義務」法学セミナー昭和三三年一一月号三六頁以下参照）。

判例も、技術説的な説明をしている【1】。

【1】「商法第四百二十九条所定ノ告知義務ハ保険事業ノ経営上保険者カ引受ケントスル危険ノ測定ニ重要ナル事項ヲ知ル必要アルヲ以テ最モ能ク之ヲ知ルヘキ地位ニ在ル保険契約者又ハ被保険者ニ対シ法律ヲ以テ特ニ負担セシメタルモノニ外ナラス……」（大判大六・一二・一四民刑聯合部民録二三・二一一二）。

六　告知義務に関する商法の規定は任意規定か強行規定か

（一）　外国の立法には、告知義務に関する法の規定が強行規定である旨を定めるものが少なくない。これに対し、わが商法にはこの点に関する明文の規定はない。

判例の態度を見ると、少数の下級審判決は強行規定であるとするが、大審院判決を含む多数の判決は任意規定であるとする。ただし、商法六七八条但書を強行規定とする大審院判決がある。以下、年代を追ってやや具体的にこれを説明しよう。

（二）　古い大審院の判決は、告知義務に関する商法の規定は任意規定であるとしていた。明治四〇年一〇月二九日の大審院判決がそれである。問題となった生命保険契約では、普通保険約款に、「後日に至り契約の際被保険人の陳述したる事項に虚偽あることを発見したるときは、保険契約後一ケ年以内ならば訂正若しくは解約を要求することあるも、一ケ年後は如何なることあるも異議を申立てず」という規定がある。原判決の内容は必ずしも明らかでないが、被保険者が既往症の告知をしなかったのを告知義務違反と認めた上で、約款の右の規定を顧慮することなく、直ちに当時の商法四二九条を適用し、保険契約を無効としたもののようである。保険金受取人側が上告して、本件保険契約については約款に商法の規定と異なる特約があり、かつこの特約は有効と解すべきであるから、告知義務違反の効果はこの特約によって判断さるべきであると主張した。大審院はつぎのように説いて上告を容れた。

【2】「生命保険契約ニ於テハ被保険者ノ既往ノ病歴ニシテ保険者ノ負担ニ属スル危険ノ予測量定ニ影響ヲ及ホスヘキモノハ商法第四百二十九条ニ謂フ重要ノ事実ニ属スルヲ以テ契約成立ノ際被保険者カ其事実ヲ告知セサルトキハ同条規定ノ結果其契約ノ無効ト為ルヘキハ言ヲ竢タスト雖モ本条ハ強制的規定ニ非サルカ故ニ之ニ異ル別段ノ意思表示ヲ為スコトヲ妨ケス而シテ其意思表示ノ内容ハ固ヨリ当事者ノ任意ニ決定シ得ヘキモノナルニ因リ重要事実タルヘキ既往病歴ヲ重要ナラサルモノトシ又ハ之ヲ以テ重要ナルモノトスル場合ニ於テモ告知セサリシ結果ニ付右規定ト異ナル意思ヲ表示シ保険者ノ選択ニ従ヒ契約ノ効力ヲ定ムルコトヲ得ヘシ故ニ若シ本件上告人主張ノ趣旨カ当事者間ニ於テハ商法第四百二十九条ニ拘ハラス保険契約ヲ有効ナラシムヘキ合意アリシ場合ナリト云フニ在リトセハ其請求ヲ排斥スルニハ既往ノ病歴ハ通例ノ場合ノ如ク重要事項ニ属スルコトヲ説明セシノミニテハ未タ其判断ノ理由ヲ具備セルモノト謂フヘカラス何トナレハ右事実ハ契約ノ趣旨ニ従ヒ重要ナルモノト解スヘキ場合ト雖モ之ヲ告知セサリシ結果ニ至リテハ右条文ノ規定ニ反スルモノアルコトヲ妨ケサルヲ以テナリ」（大判明四〇・一〇・二九民録一三・一〇二五）。

告知義務違反の効果を特約によって判断すべきものとするためには、まずこれに関する商法の規定が特約による変更を許す任意規定であることを確定しなければならない。しかし本判決は、この点についてはきわめて簡単に、「本条は強制的規定に非ざるが故に」と述べるに止まり、その理由を詳細に説いていない。従来から商法の商行為篇の規定は一般に任意規定たるものが多いと考えられているのであつて、大審院は告知義務に関する商法の規定が任意規定であることは明々白々のことと考えたのであろう。

その後、明治四四年の商法の一部改正により、告知義務違反は当然に保険契約を無効たらしめるものではなく、保険者に解除権を取得せしめるに止まることとなつたが、この商法の一部改正は、期せずして告知義務に関する商法の規定が任意規定か強行規定かの問題に関する争いを法廷に持込むこととなつた。当時の普通保険約款には、この商法改正後も、なお従来の商法の規定そのままに、告知義務違反あるときは契約が無効である旨の条項を含んでいるものが少なくなかつた。しかし、商法の規定が「無効」から「解除しうる」に改められた趣旨からいつて、約款で「無効とす」と定めることは許されないのではないか、という疑問が生じたわけである。もつとも当時の学者は、この改正によつて告知義務に関する商法の規定が強行規定となつたわけのものではないと解していた（松本・私法論文集一巻二五八頁）。

大正四年三月一六日の東京控訴院判決は、告知義務に関する当時の商法四二九条は強行規定であるとし、これと異なる内容の約款の規定は無効であるとした。しかし、

【3】「同条ノ規定ハ強行的性質ヲ有スルト解スヘキモノナルヲ以テ」（東京控判大四・三・一六評論四商一二六）。

というのみで、何故に強行規定であるのか、その理由は説いていない。またこの事件では、保険会社

側が契約の解除をしたこともあわせ主張し、これが裁判所の認めるところとなつたので、保険会社側は結局保険金の支払をしないですんだ。

ところが、翌大正五年から六年にかけて、やはり同様の約款規定の効力が問題となつた数個の事件において、東京地方裁判所は、保険契約者に告知義務の違反があることは認めながら、告知義務違反あるときは契約が無効となる旨を定める約款の規定は無効であるとし、解除権の行使を主張しない保険会社を敗訴せしめた。そのうちの一つである大正五年三月三〇日の判決は、告知義務に関する商法の規定が強行規定であることを詳細に説いて、つぎのようにいう。

【4】「商法第四百二十九条ハ告知義務ノ効力ヲ規定シタル条項ニシテ改正前ノ商法ニ於テハ当然契約ヲ無効トシタルニ拘ラス之ヲ改メテ保険者ニ保険契約解除権ヲ与ヘ一面ニ於テ保険者ノ利益ヲ保護スルト共ニ他面ニ於テハ保険契約者ノ利益ヲ保護セントシタル規定ナリ而シテ生命保険契約ノ当事者タル保険者ト保険契約者トヲ相対比スルトキハ保険者ノ一般保険智識ニ富ミ保険法ノ規定ニ通スルニ反シ保険契約者ハ例外ノ場合ヲ除ク外決シテ之ト同一ノ保険上並ニ保険法上ノ智識ヲ有スルモノニアラサルヲ普通トス此故ニ若右商法第四百二十九条ノ規定ニシテ一般契約自由ノ原則ニヨリ任意ニ之カ変更ヲ許スヘキ性質ノモノナリトセハ保険者ハ保険契約ヲ締結スルニ当リ必ス此規定ヲ変更シテ或ハ生命ノ危険測定ニ何等ノ関係ヲ有セサルカ如キ極メテ軽微ナル事実ノ告知ヲモ強要シ之カ告知ヲ怠リタルトキハ直ニ解除権ヲ発生スヘキモノトシ或ハ解除権ハ保険者ノ知リ又ハ知リ得ヘカリシト否トニ拘ラス常ニ発生スヘキモノトシ或ハ告知義務ノ違反ハ当然保険契約ヲ無効トスル等苟モ保険者ニ利益ナル条項ハ凡テ之ヲ約款ニ定ムルニ至ルヘク保険契約者ハ唯々諾々保険者ノ謂フカママニ契約ヲ締結シ其不利益ヲ招クニ至ルコト多カルヘシ此ノ如クナルトキハ商法カ特ニ第四百二十九条ノ規定ヲ設ケテ一面保険者ノ保護ニ努ムルト共ニ他面保険契約者ノ保護ヲ計リタル主旨ハ全

然没却セラレ保険契約者ノ利益ハ不当ニ害セラルルノ危険ヲ招徠スルニ至ルヘシ豈ニ商法第四百二十九条ヲ設ケタル精神ナラムヤ仍テ当裁判所ハ商法第四百二十九条ノ規定ハ特ニ明文ヲ俟ツコトナクシテ保険契約者ノ不利益ニ変更スルコトヲ許ササル性質ノ規定所謂片面的強行規定ナリト解ス若シ夫レ同条ノ規定ヲ保険者ノ不利益ニ変更スルカ如キハ保険上並ニ保険法上ノ智識ニ富ミタル保険者カ他ニ何ラカ特段ノ理由ニ基キテ其利益ヲ拋棄シタルモノト認ムヘク特ニ之ヲ禁止スルノ要アルコトナシ」（東京地判大五・三・三〇新聞一一〇九・三＝評論五商一二四）。

しかしこの見解は、ついに大審院の支持するところとならなかつた。本件保険会社が商法四二九条は任意規定であることを主張して上告したのに対し、大審院はこれを容れ、つぎのように述べて原判決を破棄した。

【5】「契約法ハ任意法タルヲ原則トス故ニ保険契約ニ関スル規定モ公益ニ関スルモノニアラサル限リハ任意法規ニシテ従テ当事者間ノ契約ヲ以テ之ニ異ナリタル定ヲ為スコトヲ得ルモノト謂フヘシ商法第四百二十九条ニ於テ『保険契約ノ当時保険契約者又ハ被保険者カ悪意又ハ重大ナル過失ニ因リ重要ナル事実ヲ告ケス又ハ重要ナル事項ニ付キ不実ノ事ヲ告ケタルトキハ保険者ハ契約ノ解除ヲ為スコトヲ得』ト規定シタルハ旧商法ニ於テ『其契約ハ無効トス』トアル部分ヲ改正シタルモノナレトモ其改正ノ趣旨ハ専ラ双方ノ利益ヲ顧慮シタル便宜ニ出テタルモノト謂フヘク新法ノ規定ヲ以テ公益ニ関スル強制法規ト為スニアリト解スルコトヲ得ス被上告人及原裁判所ハ右ノ規定ヲ以テ保険契約者ノ不利益ニ変更スルコトヲ許ササル片面的強行規定ナリト論スレトモ何等ノ明文ナキニ拘ラス此ノ如ク解釈スルハ其当ヲ得タルモノト云フヘカラス」（大判大五・一一・二一民録二二・二一〇五。判批、竹田・商法判例批評一巻二三三頁＝京法一二巻七号八七頁、松本・私法論文集三巻三五二頁）。

商法の規定は、「無効とする」から「解除しうる」に改められたけれども、この改正の趣旨はもつぱら当事者双方の利益を顧慮した便宜に出でるものであつて、これがために新規定が強行規定となつたとみることはできない、というのである。さきの大審院の立場が再確認されたといえる。

その後の下級審判決には、なお、商法四二九条をもつて強行規定としたものがある（東京地判大六・三・一七判例二巻民事六二三頁。その理由とするところは、【4】の判決と多く異ならない。なお、本件の第二審判決は東京控判大八・一一・一二新聞一六三六・一二＝評論八商七二三＝上告審判決は大判大九・四・一六民録二六・五三七）。しかし、後にかかげる数個の判決（【6】及び【7】）をみると、大審院は、告知義務に関する商法の規定は任意規定であるとする立場をその後も変更していないことが伺われるのであつて、【5】の判決は、その後も変らない大審院の基本的立場を示すものといってよいであろう。

大正六年三月二〇日の大審院判決では、「保険契約申込書に記載した被保険者の年齢につき錯誤があつた場合において、その真正なる年齢が保険契約をなすの当時保険者の保険料表に掲げた年齢の範囲内にあらざるときは、保険契約を無効とする」という普通保険約款の規定の適用が問題となつているが、右判決は、かかる特約は、

【6】「公ノ秩序又ハ善良ノ風俗ニ反スル事項ヲ目的トスル法律行為ニ非サルヲモッテ契約自由ノ原則ニ従ヒ有効ナルコト言ヲ俟タス」（大判大六・三・二〇（評論によれば五・一二）新聞一二六・一二七＝評論六商二五八。判批、水口・判例研究二九二頁）。

とした。すなわち、大審院は商法四二九条が任意規定であることを前提としているわけである。

また、大正一三年四月二三日の大審院判決で問題となつている保険契約では、約款につぎのような規定がある。「申込書の提出ありたる後保険契約者が第一回保険料を払込むまでに被保険者の身体に異状を生ずるか又は被保険者が疾病にかかりたるときは、その軽重を問わず保険会社に告知して更に

申込書を提出し被保険者の身体検査を受くるにあらざれば保険契約成立せず」。後にも述べるように、商法の規定では、告知は保険契約成立までに生じた事実についてなせば足り、また告知義務違反は契約の成立を妨げるものではなく、保険者に解除権を取得せしめるに止まる。ところが右の約款規定はこれを変更して、第一回保険料の払込の時までに生じた事実の告知を要求し、しかも、改めて保険申込書を提出し身体検査を受けるのでなければ契約が成立しない旨を定めているわけである。さて案件の被保険者は、保険契約申込（大正八年九月四日。なお契約の成立は同年一〇月三日）の後、第一回保険料払込の時以前である大正八年九月二二日に、胃酸過多症並びに慢性胃加答児症に罹り、医師M及びTの診察投薬を受けたのみならず、同年一〇月二日、K大学医学部付属病院において胃病のため診療を受けた。しかるにこれが保険者に告知せられず、また新しい申込書の提出もなかつた。被保険者が死亡して（大正九年一〇月二三日）、保険金受取人が保険金の支払を求めたのに対し、保険会社は、右の事実の告知等がないから本件保険契約は約款規定により無効であると主張した。原審は、保険契約は約款規定により不成立であるとした（なお、原審は、右の約款の規定をもつて申込に解除条件を付したものとみている）。保険金受取人側はつぎのように主張して上告した。

「……我商法ノ解釈トシテ保険契約ノ申込ニ斯クノ如キ解除条件ヲ附スルハ適法ナリト謂フヘカラス蓋商法第四百二十九条ニ於テ悪意又ハ重大ナル過失ニ因リ重要ナル事実ヲ告ケス又ハ重要ナル事項ニ付不実ノ事ヲ告ケタルトキハ保険者ハ契約ノ解除ヲ為スコトヲ得ルニ止マリ最初保険契約ノ申込ヲ為スニ当リ『悪意又ハ重大ナル過失ニ因リ重要ナル事実ヲ告ケス又ハ重要ナル事項ニ付不実ノ事ヲ告ケタルトキハ申込ハ其ノ効力ヲ失フ』ノ趣旨ヲ以テ解除条件ヲ附スル能ハサルノ法意ト解スヘシ元来此ノ規定ハ一面ニ於テ保険契約者ノ詐術ヲ防禦スルコトヲ目的トスルト同時ニ他面ニ於テ保険者ヲシテ濫リニ保険契約ノ解除ヲ為ス能ハサラシムルヲ目

的トス若前示ノ解除条件ヲ附スルヲ得ハ第四百二十九条ハ全然規定ノ目的ヲ失ヒ保険者ヲシテ無制限ニ契約ヲ解除セシムルヲ得ルト同一結果ニ至ルヘシ即申込ニ前示ノ解除条件ヲ附スルハ商法第四百二十九条ニ対シテハ当ニ脱法行為トシテ無効ト為スヘキモノナリ此ノ解釈ニシテ正当ナリトセハ保険契約申込後其ノ成立以前ニ被保険者カ疾病ニ罹リタルトキハ其ノ申込ハ其ノ効力ヲ失フトナス解除条件附申込モ亦勿論解釈ニ依リテ其ノ効力ヲ否定スヘキナリ何トナレハ既往症ニ付テ解除条件ヲ附スル能ハサル以上ハ其ノ後ノ疾病ニ付テノミ解除条件ヲ附スルヲ得ルノ道理存スルコトナケレハナリ故ニ原判決ノ如ク果シテ解除条件附ト解セハ其ノ条件ハ無効ニシテ条件ナキニ等シカルヘキヲ以テ此ノ理由ニ依リテ上告人ノ請求ヲ排斥スルハ法律ニ違背シテ不当ニ契約ヲ解釈シ且法則ノ適用ヲ誤リタル違法アリ」

しかし、大審院は、つぎのような理由から右の約款規定を有効とし、上告を棄却した。

【7】「一旦保険契約カ成立シタル以上一定ノ事由アルニ非サレハ保険者ニ於テ恣ニ契約ヲ解除スルヲ得サルノ故ヲ以テ保険契約者ヨリ為ストコロノ契約ノ申込ニ於テモ亦解除条件ヲ附スルヲ得スト論断セムトスルカ如キハ誤見ト云フノ外ナシ何者已ニ一定ノ権利関係カ発生スルニ至リシ契約成立後ノ状態ト唯或場合ニ或期間内其ノ取消ヲ為スル得サルニ止マリ未タ何等権利関係ノ発生スルコト無ク其ノ発生ハ一ニ繋リテ保険者ノ自由意思ニ存スル時代ノ状態ト之ヲ同日ニ談スルコトノ不当ナルハ殆ト言ヲ俟タサレハナリ」（大判大一三・四・二三民集三・一九五‖評論一三商二八二。判批、田中誠・判例民事法大正一三年度三八事件、鳥賀陽・論叢一八巻六三〇頁）。

すなわち大審院は、商法四二九条はすでに成立した契約の解除に関するものであって、申込に解除条件を付しうるか否かという問題は同条の関知するところでないとしている。従って大審院は、本件では商法四二九条が強行規定かどうかを論ずるに及ばないとするのであろう。しかし、もし同条が強行規定であるとすれば、これを正面からは変更しないで廻り道によってこれと異なる結果を導こうとする特約も、いわゆる脱法行為としてその効力を問題とせざるをえないはずである。しかるに本判決がかかる態度に出ていないのは、本件でも大審院はやはり商法四二九条が任意規定であるという基本的立場に立っていることを示すものであろう。

(三)　以上見て来たように、告知義務に関する商法の規定は任意規定であるとするのが多数の判例の立場である。ただし、保険契約者又は被保険者の告知すべき事項は保険契約申込書に記載したのでなければ保険者に対抗しえない旨の特約があった契約について、商法四二九条(現行六七八条)一項但書を強行規定とした大審院判決がある【8】。

【8】　「所論ノ如キ特約ハ仮令保険契約当事者間ニ成立セルモノトスルモ保険者カ現ニ告知ヲ受クヘキ事項ヲ知了シタルニ於テハソノ効力ヲ認ムヘカラス何トナレハカカル特約ハ商法第四百二十九条但書ノ適用ヲ排除センコトヲ目的トスルモノニシテ而カモ該規定ハ公ノ秩序ニ関シ之ニ反スル意思表示ヲ認容スルヲエサルヲ以テナリ」(大判大五・一〇・二一民録二二・一九五九。判批、松本・法協三五巻九二二頁、同・私法論文集三巻三三五頁、竹田・商法判例研究一巻二一九頁——いずれも判旨に反対)。

(四)　告知義務に関する商法の規定は任意規定か強行規定かの問題に関する判例の立場は、ほぼ以上説明の通りであるが、これについてとくに注意すべきことがある。それは、この問題が裁判所で争われたのは大体大正の末頃までのことであって、その後はこの種の事件をみないが、その頃から今日に至るまでの間に、学説の状況には著しい変化を生じていることである。大正の末頃までの学説は、保険契約に関する商法の規定は公の秩序に関するものを除き任意規定であるとし、告知義務に関する商法の規定は任意規定であると解していた(松本・保険法八版大正八年七三頁、同・私法論文集一巻二五八頁、竹田・商法判例研究一巻二一一頁、二三三頁、水口・保険法論六版大正一〇年二三頁、田中誠・判例民事法大正一三年度三八事件等）。当時の学説によれば、外国の一・二の立法例に見られるように保険契約に関する法の規定のあるものを加入者保護の見地から強行規定とすることは、立法政策としては或いはよいことかも知れぬが、これは法律の明文をまつてのみよくなしうるところであつて、ある規定を強行規定と定める明文の規定がないときにこれを解釈によつて強行規定と見ることはできない、というのである。ところが、その後学説の状況は大きく変つて来た。すなわちその後の学説では、とくに加入者保護の必要の感じられる生命保険・火災保険などについて、立法論として保険契約に関する商法の規定のある種のものを強行規定とする必要を説くものがあるに止まらず（例えば石井・商法下昭和二八年八頁）、更に一歩進んで、たとえある規定を強行規定と定める法の明文がなくとも、解釈によつてその規定を強行規定であると解することは可能であるとするものがある（大森・保険法四四頁）。また、保険契約に関する商法のある種の規定は――旧時の学説が言う意味での公の秩序に関するものではなくとも――、解釈論としても強行規定と解すべし、と説くものすら現れている（田中誠・新版保険法昭和三五年一六頁以下とくに一八頁）。経済的に比較的弱小でかつ保険に関する知識・経験に乏しい加入者を保護する必要があること、保険制度の合理的運営に必要な技術的基礎を確保する理由があること等を理由とする。もつとも、学説は多くは右のことを保険契約に関する商法の規定一般に関する一般論として述べているのであつて、具体的にどの規定を強行規定とし、どの規定を任意規定とするかを述べているものはあまり見られないけれども、中には、とくに告知義務に関する商法の規定について、これは原則として強行規定であつて、加入者の不利益に変更することは、明白な合理的理由のある場合に限り許される、と明言するものもある（田中誠・前掲書二六五頁。なお、この問題について、朝川「保険契約法の強行性と任意性」法学新報五四巻一一・一二号、五五巻三号参照)。

このような学説の状況を考えると、裁判所が、告知義務に関する商法の規定が六七八条但書を除き任意規定であるという従来の立場を将来においてもそのまま維持するかどうか、にわかには断じえないと言わねばならない。

(五) 告知義務に関する商法の規定を変更する特約はかなり多い。これに関する具体的説明は、後にゆずる。

二 告知義務者

一 生命保険において告知義務を負うのは、保険契約者及び被保険者である(商六七八I)。保険金受取人は告知義務を負うものではない。

二 同一の契約における保険契約者が数人あるときは、その各人が告知義務を負う(松本・私法論文集二巻二一三頁、大森・保険法一二二頁)。

三 代理人によって契約をするときは、その代理人について告知義務違反の有無を見ることを要する(松本・保険法一〇二頁、大森・保険法一二二頁・一二三頁。ただし、小町谷・海上保険法総論I二八二頁参照)。

東京地方裁判所昭和二六年一二月一九日判決(下級民集二・一四五八)(後出【53】)は、代理人によって締結された生命保険契約について、代理人が重要な事実を告知しなかったのを告知義務違反としている。

四 既述の通り、生命保険にあっては、保険契約者及び被保険者がともに告知義務を負う。しかし、その一方（例えば保険契約者）がある事実を告知すれば、同一の事実については、他の者（例えば被保険者）が告知をしなくとも、告知義務違反とはならない（東京地判大五・五・一八評論五商七二五）。

三　告知義務の内容

一　告　知

告知義務の内容は、重要な事実を告知すること及び重要な事項につき不実のことを告げないことである。告知の法律上の性質は、観念の通知である。これに意思表示ないし法律行為に関する法則がどの程度又はいかなる形で類推適用せられるかの問題は、未だ判例によつて充分に明らかにされていない。

二　重要事実

（一）　総説　告知の対象となるのは、一般的に言えば、「重要なる事実」である（商六七八Ⅰ）。保険者がその契約における事故発生の危険率を測定し、これを引受くべきか否か及び契約内容をいかにすべきかを判断する上に影響を与える重要な事実である。重要事実の意味については、問題が多い。以下これを分説しよう。

（二）　生命の危険測定上重要な事実　判例によれば、生命保険における重要事実は、被保険者の生命の危険測定上重要な事実に限る。

(1)　道徳危険の存在を示すに止まる事項は重要事項でない　保険契約者の資力を例にとつて考え

ると、保険契約者がその資力に比較して過大な保険金額の保険をつけるような場合には、そこに何らかの不法の意図がひそんでいることがありうる。保険契約者がひそかに故意に保険事故を生ぜしめて保険金相当額を受領しようという意図を有していることも絶無でない。このような場合には、保険事故発生の可能性は普通の場合に比べて大きい筈である。それ故、保険契約者の資力いかんは保険事故発生の危険率を測定する上に全然意味がないとはいえない。しかし判例は、かかる不法の意図の存在を推断せしめるに止まる事実は重要事実ではないとする。これを重要事実から除外する意味において、判例は、重要事実は被保険者の生命の危険測定上重要な事実に限るとするのである【9】【10】。

【9】 保険契約者（兼被保険者）の職業は本当は小学校教員であるのに、貿易商であるといつわって保険契約を締結した。原審はこの場合は告知義務違反にならないとしたようである。保険会社側は大要つぎのように述べて上告した。

「原判決が、商法四二九条にいう重要事実を被保険者の死亡という事実の発生を測定する上に必要な事項に限ると解釈したのは誤りである。商法の規定には、重要事実の意味をかように制限する文字はない。直接に危険の測定に必要なものは勿論、間接に危険の測定に必要であるに止まるものも、すべて商法にいう重要事実と解すべきである。而して、本件保険契約者は、本件契約に先立ち、日本生命保険会社に職業を教員として保険金額一万円の保険契約の申込をしたが、「身分不相応の申込」の故をもつて拒絶せられた。次いで帝国生命保険会社にも職業を教員として保険金額八千円の保険契約の申込をしたが、これも「身分不相応」の故をもつて拒絶せられた。更に、「マヌファクチュウラルス」生命保険会社にも、職業を教員として保険金額三万円の保険契約の申込をしたが、これまた同様の理由で拒絶せられた。これらの事実にかんがみると、保険契約者の告知した職業が保険契約の締結に重大な関係を有することは明らかである」と。

大審院は、いわゆる重要事実とはもっぱら被保険者の生命につき危険を測定するがために必要な事実をいうとして、右上告を棄却した。

「保険者カ生命保険ノ契約ヲ為スニアタリテハ被保険者ノ生命ニ関スル危険ヲ測定スルコトヲ最モ必要トスルカ故ニ商法第四百二十九条ニ重要ナル事実ヲ告ケス又ハ重要ナル事項ニツキ不実ノ事ヲ告ケタルトキ云々トアル事実又ハ事項ハ専ラ被保険者ノ生命ニツキ危険ヲ測定スルカ為必要ナル事実又ハ事項ヲ指シタルモノトス而シテ上告人カ本点ニ於テ論スル事項中（中略）保険契約者カ保険料ヲ継続シテ支払フヘキ資力ヲ有スルヤ否ヤヲ調査スルカ如キコトハ独リ保険契約ノミニ限リタルモノニ非スシテ他ノ契約ニモ多ク存スルニ他ノ多クノ契約ニ於テ当事者ノ一方ニ対シテコノ如キコトニ関シテ告知義務ヲ負ハシメラレサルニ独リ生命保険契約ニ於テノミ之カ告知義務ヲ負ハシメラルヘキ理アラサルナリ」（大判明四〇・一〇・四民録一三・九三九）。

同様の考え方から、判例によれば、被保険者の身分も重要事実ではないとされている【10】。

【10】　保険契約者が自己の雇人甲を被保険者として生命保険契約を締結するに際し、甲は保険契約者の義弟であるという不実の告知をした。原審は、つぎのような理由から、重要事項について不実のことを告げたことになるとした。

「改正前ノ商法第四百二十九条ニ所謂重要ナル事項トハ主トシテ生命ノ危険測定ニ関スル者ナルハ勿論ナレトモ単ニ之ノミニ限ル者トナスヘカラス同条ノ規定ハ保険者カ若シ之ヲ知ルニ於テハ其契約ヲ締結セサルニ至ルヘカリシ事項ヲ故意又ハ重大ナル過失ニヨリ告知セス又ハ不実ノ告知ヲナシタルカ為メニ成立スルニ至リタル契約ヲ無効トスルノ趣旨ナリト解スヘク直接ニ生命ノ危険測定ニ関スル所ナキモ之ヲ知ルニ於テハ契約締結ヲ妨クヘカリシ事項ハ又之ヲ重要ナル事項ナリトスヘシ而シテ被保険者ノ身分ノ如キ必スシモ常ニ契約締結ヲ妨クヘキ重要ナル事項トナス能ハスト雖モ若シ何等地位身分財産ナキ一農家ノ雇人ヲ被保険者トシ巨額ノ保険契約ノ申込アルニ於テハ保険者ハ事情怪ムヘキモノアリトナシ契約ヲ拒絶スルコトアルヘキハ

当然ノ事理ニシテ鑑定人ノ供述ニヨルモ保険業者間ニ於テ被保険人ノ身分ノ雇人ナルカ家族ナルカノ如キ事項ハ契約締結ニ付キ一般ニ之ヲ重要視シ居ルコトヲ認メ得ヘキヲ以テ被保険者ノ身分モ亦保険金額等諸種ノ事項ト関連シテ重要事項ノ一タルコトアルヘキハ固ヨリトス而シテ保険金額カ山間僻地ノ一農業雇人ノ保険金額トシテハ比較的巨額ナル二千円ノ契約ニ付テハ被保険者カ単ニ保険契約者ノ雇人ナルカ将タ義弟ナルカノ事実ハ之ヲ重要ナル事項ナリトスルヲ相当トス」（東京控判大一一・一〇・四新聞八三六・二二＝評論一一商二二八）。

これに対して保険金受取人側が上告した。上告理由は要するに、商法四二九条にいう重要事実とは被保険者の生命の危険測定に影響を及ぼす事実という意味であることは従来の大審院の見解であるところ、被保険者が保険契約者の雇人であるか義弟であるかというようなことは被保険者の生命の危険測定に直接影響のないことであるから、本件保険契約者は重要事項について不実の告知をしたことにならない、というにある。

大審院は右上告を容れ、つぎのような理由で破棄差戻の判決をした。

「商法第四百二十九条ニ所謂重要ナル事実又ハ重要ナル事項トハ専ラ被保険者ノ生命ニ関シ危険ヲ測定スルカ為メニ必要ナル事実又ハ事項ヲ指シタルモノト解スヘキコトハ従来当院カ屢判例ニ於テ明示シタル所ナリ故ニ其以外ノ事実又ハ事項ニシテ保険者カ若シ之ヲ知ルニ於テハ契約ヲ締結セサルニ至ルヘカリシ事実又ハ事項ノ如何ニ重大ナルモノアリトスルモ此等ノ事実又ハ事項ハ一般意思表示ノ成立ニ共通シタル法則ノ適用ヲ受クヘキモノニシテ前記商法第四百二十九条ノ適用ヲ受クヘキ限リニ在ラス然ルニ原院ハ本件判決理由ニ於テ被上告人カ被保険者勝之甫ハ辰次郎ノ雇人ニ過キサルニ辰次郎ハ保険契約締結ニ際シ勝之甫ヲ義弟ナリト詐称シ重要ナル事実ニ付不実ノ告知ヲ為セルニ依リ本契約ハ無効ナリトノ抗弁ヲ為シタルニ対シ右商法第四百二十九条ニ所謂重要ナル事項トハ主トシテ生命ノ危険測定ニ関スルモノナルハ勿論ナレトモ直接ニ生命ノ危険測定ニ関スル所ナキモ保険者カ若シ之ヲ知ルニ於テハ契約締結ヲ妨クヘカリシ事項ハ亦之ヲ重要ナリトスヘシ云々トノ前提ノ下ニ被保険者勝之甫カ辰次郎ノ雇人ニ過キサルニ辰次郎ハ保険契約締結ニ際シ之ヲ義弟ナリト詐称シタリトノ何ラ勝之甫ノ生命ニ付テノ危険測定ニ必要ナラサル事項ヲ以テ之ヲ前記商法第

四百二十九条ニ所謂重要ナル事項ナリト為シ上告人ニ敗訴ヲ言渡シタルハ前記法条ヲ不当ニ適用シタル違法アルモノト云ハサルヘカラス何トナレハ被保険者タルヘキ者カ単ニ一農家ノ雇人ナリトスルモ将タ雇人ニ非スシテ其主人ノ義弟ナリトスルモ斯カル社会上ノ地位ノミノ等差ニ依リテハ其者ノ生命ニ対スル危険ニ付テノ等差アルヘキ謂ハレナキカ故ニ此ノ如キ事項ハ前説明ニ所謂生命ニ付テノ危険測定ニ必要ナル事項ト云フヲ得サレハナリ」(大判大二・三・三一民録一九・一八五)(なお、差戻後の控訴審判決は東京控判大二・一二・四評論二商四二〇——詐欺による取消の主張を認めた——、上告審判決は大判大三・六・五新聞九五〇・三〇——原判決を支持した)。

⑵　重要事実の具体例　右のように、判例によれば生命保険における重要事実は被保険者の生命の危険測定上重要な事実に限る。かかる事実としては、被保険者の既往症及び現症、血族及び配偶者の健否及び死因、被保険者の年齢、被保険者の職業並びに他の保険会社との保険契約に関する事項等が問題となる。以下、判例が何を重要事実とし、何を重要事実でないとしているか、これを具体的に説明しよう。

（イ）　被保険者の既往症及び現症　被保険者の既往症及び現症には、重要事実であるものが多い。判例で重要事実とされたものとしては、つぎのようなものがある。

① 肺　結　核（大判大七・四・二七新聞一四二二・二〇、東京地判大八・七・二三評論八商三七五、同昭一五・五・三一新聞四六一二・九‖評論二九商三〇七）

② 結核性腹膜炎（東京地判大七・一二・七新聞一五二五・一九、同昭八・一二・一一評論二三商三一〇、東京控判大八・九・二二新聞一六一九・一七）

③ 結核性流注膿瘍（東京地判大二・一〇・二八新聞九〇八・二三）

④ 脊髄骨結核（東京控判大一三・三・二六新聞二二六〇・二一‖評論一三商三五〇、横浜地判大一一・一二・二七評論一三商三四七）

⑤ 咽喉結核（東京控判明四四・一二・八新聞七七一・二四）

⑥　結核性喉頭加答児（東京控判明四五(ネ)三一七号新聞九六二・二三）

⑦　結核性痔瘻症（大判大九・六・二民録二六・七八七）

⑧　肺　炎（大阪控判大五・一一・二八新聞一一九九・二〇、東京地判明四二・一二・二八新聞六二六・一一）

⑨　肺尖加答児（大判大一四・六・二五新聞二四七〇・一三＝評論一四商四三六、東京控判大一二・二・二六評論一二商四三、同大六・一一・二二新聞一三五五・一九＝評論六商七五七）

ただしこれを重要事実でないとした判決もある（東京地判大二・一二・二三新聞九三九・二二――「肺尖加答児ハ普通一般ノ事情トシテ生命ニ危険ヲ及ホスモノニアラス」という）。

⑩　気管支炎（大阪控判明四一（裁判年月日事件番号不明）新聞五二八・一八、東京区判昭二・七・二二新聞二七五六・一〇）

ただし、「軽症ニシテ短キ経過ヲ取リテ治癒」した気管支炎の既往症を重要事実でないとした判決もある（大阪控判大五・一一・二八新聞一一九九・二〇）。

⑪　気管支加答児（大判明四五・五・一五民録一八・四九二、大判大七・一〇・五民録二四・一八六八）

ただし、軽症で短期間に治癒した気管支加答児につき、これを重要事実でないとした判決もある（東京地判昭一一・二・五新聞三九六二・一六＝評論二五商三一一）。

⑫　慢性中耳炎（東京地判大四・一二・二三新聞一〇七六・一七＝評論四商五五三）

⑬　肋膜炎（大判大八・三・八民録二五・四六二、同大一一・八・二八民集一・五〇一、東京地判昭一三・六・一〇新聞四三〇四・九、同昭一五・五・三一新聞四六一二・一〇＝評論二九商三〇九）

⑭　肺浸潤（東京地判昭一五・五・三一新聞四六一二・一〇＝評論二九商三〇九、同昭二六・一二・一九下級民集二巻一二号一四五八頁）

⑮　気管支喘息（大判大七・一一・八民録二四・二一五三、大阪控判大七・七・三一判例四巻民事三四頁）

ただし、軽度の気管支喘息を重要事実でないとした判例もある（大判昭五・一二・二〇新聞三二一六・一四＝評論二〇商二一）。

⑯　胃潰瘍（大判昭一五・六・二二新聞四五九七・一一＝評論二九商八四、東京控判昭一一・七・一八新報四五〇・九）

⑰ 慢性胃加答児（大判大五・三・二〇民録二二・四七九、同大八・六・二七新聞一六〇八・一六）

⑱ 慢性胃酸過多症（大判昭一五・六・二二評論二九商八四‖新聞四五九七・一一）

ただし、軽度の胃酸過多症を重要事実でないとした判決もある（大阪地判昭一四・二・一四新聞四三八九・一六）。

⑲ 盲腸周囲炎（東京控判大三・三・一六新聞一〇〇九・二一評論‖四商一二七）

⑳ 鼠蹊ヘルニア病（大津区判大七・三・二九新聞一三九四・二五‖評論七商二六九）

㉑ 腸加答児（東京地判昭一〇・三・二五新報三九六・一五――「腸加答児の持病」を重要事実と認めた）

これに対し、慢性腸加答児でも軽症のものは重要事実でないとした判決（東京地判明三九・二・五新聞三三七・五）、また、四・五日で平癒した急性腸加答児は重要事実でないとした判決（大阪控判明四四・一二・一四新聞七六八・二〇）がある。

㉒ 痔瘻（東京控判大七・三・一四評論七商六三、同昭一〇・六・四新聞三八七一・一六‖評論二四商三九〇、東京地判昭九・七・一七新聞三七四七・八‖評論二三商五四一）

㉓ 腹膜炎（東京控判大六・一一・二二新聞一三五五・一九‖評論六商七五七、東京地判昭一〇・三・二五新報三九六・一五）

㉔ 胆石病（大判大一〇・一二・七新聞一九四六・一八、同大一一・八・二八民集一・五〇一――一ケ月以上も入院治療し、しかも肝臓病又は気管支加答児等を併発した両側肋膜炎及び胆石病は重要事実と推定する、という。大阪控判昭七・三・二四新聞三四〇一・一四‖評論二一商三一一）

㉕ 脚気（東京地判大九・三・一一評論九商三八――癲癇及び脚気にかかつたことがある事実を重要事実とした）

ただし、軽症の脚気に罹ったが約一ヶ月間で全治したという事実は重要事実でないとした判決がある（東京地判明三九・二・五新聞三三七・五）

㉖ 腎臓炎（東京地判大一一・九・二六新聞二〇五二・一七‖評論一一商四四、同昭一二・四・九新聞四一七六・一〇）

㉗ 尿道周囲炎（大判明四〇・五・七民録一三・四八三）

㉘ 血尿症（長崎控判大一一・二・二四新聞一九六七・二〇）

㉙ 精神病（大判昭九・一〇・三〇新聞三七七一・九＝評論二三商五六九、東京地判昭一五・三・一四新聞四五四六・一四）

㉚ 神経衰弱（東京控判昭一〇・一〇・一二新聞三九三〇・一三＝評論二四商五七四＝新報四一九・一七）

ただし、軽度の神経衰弱を重要事実でないとした判決がある（東京地判大四・一一・二五新聞一一一七・二六）。

㉛ 癲癇（東京地判大九・三・一一評論九商三八）

㉜ 脳溢血・脳出血（大判大四・六・二六民録二一・一〇四四、東京地判大五・一一・一八新聞一二〇一・一七＝評論六商三三）

㉝ 高血圧症（東京地判昭一〇・九・二七新報四一三・二六）

㉞ 強度の貧血症（東京地判昭一四・三・一新聞四三九五・一三）

㉟ 心臓病（東京控判大一二・六・一新聞二一九三・一九）

㊱ 広汎性大動脈拡張症（東京控判大八・三・一〇評論八商八五）

㊲ 肉腫症（東京地判大五・五・一八評論五商七二五）

㊳ 口腔癌腫（東京地判昭一六・七・二四評論三〇商二一八）

㊴ 胃癌（東京控判明四〇・六・二一最近判一巻九三頁）

㊵ 直腸癌（東京控判大八・四・二六評論八商三九二）

㊶ 縦竇腔癌腫（東京控判昭一三・七・三〇新報五一八・二〇）

㊷ 鼠蹊腺癌（東京控判大七・一〇・二一評論七商六七一）

㊸　子宮癌腫（大判大九・一・二三民録二六・六五、東京控判大五・五・二三新聞一一三八・一九＝評論五商四三一）

㊹　子宮筋腫（東京控判昭九・四・二八評論二三商二二六）

㊺　梅　毒（大判昭四・一二・一一新聞三〇九〇・一四＝評論一九商二一九、同昭一〇・七・一二法学五巻三五三頁、東京地判大八・七・一〇評論八商三一七）

ただし、全治した梅毒を重要事実でないとした判決がある（東京地判大一〇・六・一一評論一〇商二二七、東京控判大一一・五・二四新聞二〇三一・一五）。

また、梅毒は特別の事情がない限り重要事実でないとした判決もある（東京控判大一二・六・三〇新聞二〇二二・一九）。

㊻　子宮内膜炎（大判昭九・一〇・五新聞三七五七・一四――子宮内膜炎兼実質炎を重要事実と認めた）

ただし、これを重要事実でないとした判決もある（東京地判大五・三・三〇評論五商三七五＝新聞一一一三、東京控判大六・六・二二評論六商六二四＝新聞一三一〇・二六、二五）。

㊼　子宮周囲炎（東京地判昭七・九・二七評論二一商六四〇）

㊽　左側附属器炎膣部糜爛（東京地判昭二五・四・二二下級民集一・四・五九四）

㊾　妊娠分娩の事実（東京地判昭五・六・一一新聞三一三五・一〇＝評論一九商四六四）

㊿　妊娠中であること（大判昭一一・二・一九判決全集三輯三号二五頁）

ただし、これを重要事実でないとしたものもある（東京控判大七・三・二六評論七商二六五）。

(51)　子宮異状出血（大阪控判大七(ネ)一五八号判例三巻民事一二七一頁）

ただし、僅少期間の治療によって全治した子宮異状出血を重要事実でないとした判決もある（東京地判大九・四・一五評論九商二一九）。

以上述べたところに対し、判例によって重要事実でないとされたものとしては、すでにふれたもののほか、つぎのようなものがある。

① 扁桃腺炎（東京控判大四・五・二〇新聞一〇二三・二二＝評論四商一八三）
② 慢性肥厚性鼻炎（東京地判大五・七・一二新聞一一五八・一七＝評論五商七三二、東京控判大六・二・二七新聞一二五六・一八＝評論六商二四二——なお、これについては大判大六・九・六民録二三・一三九参照）
③ 肺の軽度の故障（東京控判大三・五・二一新聞九六二・二四）
④ 冬期に時々咳嗽を発し又時々三十七度五分ないし三十八度の発熱があつて胸側痛を感じた事実（東京地判大三・五・二三新聞九五四・二四＝評論三商一三三）
⑤ 胃拡張（大阪控判昭一〇・四・六新聞三八三八・一八、東京地判大一〇・一一・一七評論一〇商六一六）
⑥ 胃痙（東京控判大三・一一・二一新聞九八五・二〇、東京控判大一四・一〇・二六新聞二五五三・一二）
⑦ 腎盂炎（大阪控判昭七・三・二四新聞三四〇一・一四＝評論二一商三一一＝新報三〇一・二四）
⑧ 骨　傷（東京控判明三七・五・八新聞二〇九・一九）
⑨ 羊膜水腫浮腫（東京地判大九・四・一五評論九商二一九）
⑩ 軟性下疳（大判大六・一一・二〇民録二三・一七一）
⑪ 流　産（東京控判明四〇・三・一五新聞四一七・二一、同大七・三・二六評論七商二六五）

なお、被保険者の既往症及び現在症については、被保険者又は保険契約者はその病状は多少とも知つているけれどもその病名は知らない、という場合がある。かような場合には、被保険者又は保険契約者の知らない病名そのものについては、これを告知しなくても告知義務違反とならない。しかし、

被保険者又は保険契約者が知っている病状は告知しなければならず、これを告知しないときは告知義務違反が成立しうる、とするのが判例である【11】【12】【13】【14】【15】【16】【86】。

【11】 案件の被保険者（同時に保険契約者）は保険契約締結の際その現症を告知せず、これが告知義務違反になるかどうかが問題となっている。被保険者の病気は食道癌であったが、保険契約の当時被保険者は未だこの病名を知らず、たんなる胃病であると考えていた。

原判決は――上告理由の説くところによれば――、被保険者は契約締結の当時自分が食道癌にかかっていることを自覚せずまたこれを自覚しうべき症状にもなかったのだから、被保険者は不知について悪意・重過失なしとして保険会社を負かしたもののようである。保険会社側は大要つぎのように主張して上告した。すなわち、被保険者は食道癌にかかっていたことは知らなかったかも知れないが、当時同人が自覚していた胃部の異状そのものが告知すべき重要事実で、被保険者はこれを告げないことについて悪意又は重過失がある、と。

大審院は上告を容れ、破棄差戻の判決をした。

「因テ按スルニ商法第四百二十九条第一項ニ所謂重要ナル事実トハ危険ノ測定ニ影響ヲ及ホスヘキ事実ニシテ其然ルヤ否ヤハ客観的ニ決定スヘク保険契約者又ハ被保険者ノ主観的判断ニ依リテ定マルヘキモノニ非サルハ論ヲ竢タス故ニ苟クモ保険契約締結当時ニ於ケル被保険者ノ現在症カ生命ノ危険ヲ惹起スヘキ素質ヲ有シ而カモ現ニ其病症カ死ノ原因ト為リタルモノナル以上ハ現在症カ未タ重大ナル症状ヲ呈セサルトキト雖モ之ヲ目シテ同条ノ重要事実ト謂ハサル可ラス唯同条ハ告知義務ノ違背ニ保険契約者又ハ被保険者ノ悪意若クハ重大ナル過失ヲ要求セルヲ以テ被保険者カ現在症ノ生命ノ危険ヲ誘起スヘキ危険性ヲ自覚セス又自覚セサルニ付キ重大ナル過失ナキ以上ハ告知義務違反トシテ同条ノ不利益ナル結果ヲ被ムルコトナカルヘキノミ然レハ裁判所ニ於テ保険契約締結当時ニ於ケル被保険者ノ現在症ヲ保険者ニ告知セサリシニ付責任アリヤ否

ヤヲ判定センニハ其疾病カ生命ノ危険ヲ惹起スヘキ素質ヲ有セサルモノナルヤ否ヤ其疾病ハ死ノ原因トナリタルヤ否ヤ其疾病カ危険ノ症状ニ陥ルヘキ尋常一様ノ症状ニ非サルコトヲ自覚シタルヤ否ヤ自覚セサルトシテ自覚セサルニ重大ナル過失アリタルヤ否ヤヲ判断セサルヘカラス今本件ニ付キ原判旨ヲ按スルニ原院ハ前段ニ於テ被保険者花吉吾吉カ大正四年三月中発病シ胃病ノ処方ヲ与ヘラレシモ同年八月中ニ至リテ始メテ食道癌ニ罹リ居ルコトヲ知リタル旨認定シ其後段ニ於テ右事実ヨリ推究シテ吾吉ハ本件保険契約締結ノ当時未タ生命ノ危険ヲ測定スルニ重要ナル関係ヲ有スル重病ニ罹リ居リシ事ヲ自覚セス且未タ容易ニ之ヲ自覚シ得ヘキ症状ニモアラサリシモノト認定シタルニ徴スレハ原院ハ吾吉ニ於テ保険契約締結当時食道癌ノ重症ニ罹リ居ルコトヲ自覚セス又自覚セサルニ付キ重大ナル過失ナカリシコトヲ判定シタルニ止マリ其当時吾吉ノ病症カ危険性ヲ帯ヒタル事実少クトモ当時同人カ自覚セル胃病カ尋常一様ノ胃病ニ非サルコトヲ自覚セルヤ否ヤ又其自覚ナキニ付重大ナル過失ナカリシヤ否ヤニ付毫モ判定スル所ナシ原判決認定ニ係ル吾吉カ大正四年三月中発病シテヨリ八月初旬食道癌ナルコトヲ告ケラレタル時ニ至ル経過事実ニ依レハ同人ハ保険契約締結当時罹リ居レル疾病カ普通一時的胃ノ疾患ニ非サルコトヲ知リ居リシモノノ如キ疑アリト雖モ此点ニ付原院ハ明白ナル判断ヲ下ササルヲ以テ当院ニ於テ判決ヲ為スニ由ナシ之ヲ要スルニ原判決ハ審理ヲ悉ササル瑕瑾アリ此点ニ於テ破毀ヲ免レサルヲ以テ……」（大判大六・一〇・二六民録二三・一六二二〇、判批、竹田・京法一三・六八二）。

【12】 被保険者は、保険契約締結の約一年前に子宮内膜炎にかかり医師の治療を受け、また保険契約締結の約二ケ月前には子宮腟部癌腫症にかかり医師の治療を受けた。しかるに、保険契約締結の際には被保険者は「単に白帯下に罹り居る旨の告知」をなしたに止まつた。これが告知義務違反になるか否かが問題とされた。

原審は、被保険者は医者からはたんに子宮疾患あることのみを告げられ、その病名は教えられていなかつたという事実を認定し、被保険者も保険契約者も前記の如き病名の病気にかかつていることは知らなかつたのであるから、告知義務違反とはならない、と判示したもようである。

保険会社側が上告し、大審院はこれを容れて破毀差戻の判決をした。大審院は、たとえ病名は知らずとも被保険者が自覚している症状自体が重要事実であることを説く。

「被保険者戸田ヲカハ当時生命ノ危険ヲ測定スルニ重大ナル関係ヲ有スル疾患ニ罹リ居リタルモノナルヲ以テ縦令医師ヨリ前記病名ノ告知ヲ受ケタル事実ナシトスルモ其重患ニ罹リ居リタル事実自体ハ被保険者ニ於テ之ヲ自覚シ居リタルモノト看做スヘキハ当然ニシテ従テ保険契約ノ当時之ヲ上告会社ニ告知セサリシハ他ニ特別ナル事情ナキ限リハ悪意又ハ重大ナル過失ニ基因スルモノト推定スヘキハ当然ナリ然ルニ原判決ハ被保険者ヲカカ上記ノ如キ病名ノ疾患ニ罹リタルコトヲ医師ヨリ告知セラレタルコトナキ事実ニ依リ直ニ右ノ如キ重患ニ罹リタル自覚ナキモノト断シ被保険者カ上告会社ノ診察医ニ対シ単ニ白帯下ニ罹リ居ル旨ノ告知ヲ為シタル事実ヲ以テ完全ニ告知義務ヲ履行シタルモノト判定シタルハ告知義務ニ関スル法則ノ適用ヲ誤リ且所論ノ如ク実験法則ニ反シテ不当ニ事実ヲ認定シタル不法アリ原判決ハ破毀ヲ免カレス」（大判大七・三・四民録二四・三二三。判批、竹田・京法一三巻一二七四頁、松本・私法論文集三巻六二三頁）。

【13】　被保険者は、保険契約締結の約五〇日前に気管支加答児にかかり、東京帝国大学医科大学病院で診断を受け、以後継続服薬していた。これを保険者に告げなかつた。

原審は、気管支加答児は重要事実ではなく、かりにこれが重要事実であるとしても、当時被保険者は気管支加答児にかかつていたことは知らなかつたと認められるから、不告知につき悪意・重過失はない、として告知義務違反の成立を否定した（評論七商二七一）。

保険会社側は、なかんずく、気管支加答児は重要事実であること、及び、被保険者は病名を知らなかつたとしても症状自体は知つていたはずで、これにつき告知義務違反があること、を主張して上告した。この後の点については上告人は、さきの大正七年三月四日の大審院判決を援用している。

大審院は、上告を容れ、破毀差戻の判決をした。判決理由は、気管支加答児が重要事実であることを説いた後、つぎのように言う。

「原判決ハ第二段ノ理由トシテ仮ニ気管枝加答児ニ罹リタル事実ハ生命ノ危険ヲ測定スルニ重要ナル事実ナリトスルモ本件ノ被保険者松島亀次郎カ保険契約締結ノ当時自己カ曾テ気管枝加答児ニ罹リタルコトヲ自覚シ居リタル事実ニ付キテハ乙第二号証ハ措信シ難ク其他ノ証拠ニ拠テハ之ヲ認メ得サル旨判示シテ被保険者ハ告知義務ニ違背セサルコトヲ説明シタレトモ被保険者カ気管枝加答児ニ罹リタル事実アレハ医学上ノ病名如何ニ関係ナク疾患夫自体ヲ自覚シ居リタリト推定スヘキハ当然ニシテ上告人ノ立証ヲ竢テ之ヲ決ス可キモノニ非ス然ルニ原判決カ叙上ノ如ク上告人ノ提出セル乙第二号証其他ノ証拠ニ拠リテハ疾患自覚ノ事実ヲ認メ得サル旨判示シタルハ立証責任ニ関スル法則ニ違背シタルモノニシテ原判決ハ到底破毀ヲ免レサルモノトス」(大判大七・一〇・五民録二四・一八六八。判批、竹田・論叢一巻五六三頁、松本・私法論文集三巻七三六頁)。

本判決は、直接的には、原審が疾患自覚の有無の認定に際してとった態度を非難するものである。被保険者は、この気管支加答児のため医師の診察を乞い、継続服薬していたというのであるから、病名は知らなかったかも知らないが症状自体は大体自覚していたものと考えられる。従って、裁判所としては、特に疑わしい事情がない限り、このことから被保険者は症状を自覚していたものと推断しうるのであって、症状の自覚があった旨の立証があるまでさような認定をなしえないというようなことはない。本判決は直接的にはこのようなことを述べている。しかし、ここではやはり、病名は知らずとも自覚している症状自体が告知義務の対象となりえ、これにつき告知義務違反が成立しうる、という理論が基礎となっていると言える。

【14】 被保険者が胃の病気を告知しなかったという事案である。被保険者(同時に保険契約者)は、明治

四五年頃より慢性胃加答児にかかり、保険契約申込（大正六年四月三〇日頃）まで「数年継続して時々胃痛呑酸を訴え、胃部の振盪音を感じ」——原判決は、これを胃潰瘍の前駆症状と認めている——、医師の治療を受け、屢々モルヒネ注射をしており、保険契約の当時においては「益々其病勢昻進し、殊に胃痛発作の度数並に劇度を増し其症状頗る険悪なる経過に移」っていた。しかるに契約締結の際これが保険者に告知されず、これが告知義務違反になるかどうかが問題とされた。

原審は、被保険者の当時の疾病が重要事実であることは認めたが、被保険者は当時自分の胃部の疾患をもつて「胃潰瘍の前駆症のような重患とは考えていなかつた」ものと認め、よつて不告知につき悪意・重過失なしとし、保険会社を敗訴させたもようである。

保険会社が上告したのに対し、大審院はこれを容れて、つぎのような理由で原判決を破毀し、事件を原審に差戻した。

「被保険者土倉伊三郎ハ前記既往症ヲ以テ胃潰瘍ノ前駆症タルカ如キ重患ナリトハ思惟シ居ラサリシモ右軽微ナラサル既往症ハ全部同人ノ覚知シ居リタル事実ナリトス然レハ原裁判所ハ被保険者土倉伊三郎ニ於テ仮令前記ノ如キ既往症ヲ以テ胃潰瘍ノ前駆症ナルコトヲ知ラサリシトスルモ該既往症ニ依リ同人ノ覚知セル胃病が尋常一様ノ疾患ニアラサルコトヲ自覚セサリシヤ否ヤ又自覚セサリシトスルモ自覚セサルニ付キ重大ナル過失ナキヤ否ヤヲ審査シ以テ右既往症状ヲ保険者タル上告人ニ告知セサリシニ付キ悪意又ハ重大ナル過失アリタルヤ否ヤヲ決セサルヘカラサルニ単ニ『伊三郎ハ本件契約当時ニ於テハ既往症タル前記胃部ノ疾患ヲ以テ胃潰瘍ノ前駆症タルカ如キ重患ナリト思惟シ居ラサリシモノト認ムルヲ以テ妥当トス故ニ同人カ本件契約当時右疾患ニ付キ控訴会社ニ対シ何等ノ告知ヲ為ササリシニ付テハ何等ノ悪意又ハ重大ナル過失アリタルモノト謂フコトヲ得サルモノニシテ云々』トノミ判示シタルハ理由不備ノ不法アルモノト謂ハサルヲ得ス」（大判大八・六・二七新聞一六〇八・一七）。

【15】　被保険者は、保険契約の締結（大正一〇年一月二六日）前、肺尖加答児症にかかり、大正九年一一

月二日より二六日まで医者の診療を受けていたが、これを保険者に告知しなかつた。原審は、本件既往症は重要事実ではあるけれども、被保険者は「肺尖加答児の既往症ありしことを了知せず、病勢極めて軽微にして重き種類の病症たることを自覚し得ざる程度のものにして、従つてヨネ（被保険者）に於て之を自覚し居らざりしことを認定するに十分」であるとし、告知義務違反とはならぬとしたもようである。保険会社が上告し、大審院は、つぎのような理由で原判決を破棄した。

「被保険者山口ヨネカ該疾病ニ罹リタル事実ハ同人ノ体験シタルモノニ係ルカ故ニ当時医師ヨリ病名ノ告知サレタルコトナク又其疾病ノ重キ種類ノモノナルコトニ付知ルコトナカリシモノトスルモ右疾病ニ罹リシ事実ハ保険契約締結ノ当時之ヲ自覚シ居リシモノト看做スヘキハ当然ニシテ当時之ヲ保険者タル上告会社ニ告知セサリシハ他ニ特別ノ事情ナキ限リハ同人ニ悪意又ハ重大ナル過失アルモノト推定スヘキヲ当然トス然リ而シテ生命保険契約ニ際シ被保険者ハ其ノ生命ノ危険ヲ測定スルニ重要ナル既往症ヲ保険者ニ告知スルヲ要スルモノニシテ其ノ告知ハ既往症即疾病ニ罹リタル事実ニ付之ヲ為スヘキモノニシテ医学上ノ病名ヲ告知スルヲ要スルモノニアラス又其ノ既往症カ生命ノ危険ヲ測定スルニ重要ナルヤ否ヤハ被保険者ノ主観的観念ニヨリテ之ヲ決スヘキモノニ非サルニ原審ハ肺尖加答児カ人ノ生命ノ危険ヲ測定スル重要ナル事項タルコトヲ認メナカラ被保険者山口ヨネニ於テ肺尖加答児ノ既往症アリシ事実ヲ了知セサルノミナラス其ノ重キ種類ノ病症タルコトヲ自覚セサリシモノナレハ同人カ右既往症ヲ告知セサルハ悪意又ハ重大ナル過失ニ因ルモノニ非スト断シ上告会社カ被保険者ニ告知義務違背アルモノトシテ為シタル契約解除ノ意思表示ハ其ノ効力ヲ生セサル旨ヲ判定シタルハ告知義務ニ関スル法則ノ適用ヲ誤リ且実験法則ニ反シテ不当ニ事実ヲ確定シタル不法アルモノニシテ原判決ハ此ノ点ニ於テ破毀ヲ免レサルモノトス」（大判大一四・六・二五新聞二四七〇・一三＝評論一四・四三八）。

【16】　「本件保険契約成立前被保険者タル五十嵐カ或種ノ脳実質ノ器質的疾患ニ犯サレ動機不明ノ家出ヲ為ス等精神病特有ノ症状ヲ呈シ居タルコト前記ノ如クナル以上右疾病ノ事実ハ保険契約ノ締結ニ当リ被保険者ノ生命ノ危険ヲ測定スルニ付重要ナル関係ヲ有スル事項ニ属スルモノト謂フヘク此ノ事ハ現ニ該疾病カ原

因トナリ被保険者ノ死亡ヲ惹起シタル前記認定事実ニ依ルモ明ナルトコロナリ然モ若林平一（筆者註　保険契約者の代理人）カ五十嵐栄ノ身体検査ニ立会ヒタル際平一ニ於テ当時既ニ栄カ精神ニ異状ヲ呈シ前記ノ如キ諸症状ヲ呈シ病勢悪化ノ状態ニ在リタルコトヲ知リ居リタルコト前認定ノ如クナル以上縦令右栄カ従来医師ノ診察ヲ受ケタルコトナク従ツテ其ノ病名等ノ詳細ハ未タ判明シ居ラサリシトスルモ平一ハ診査医ニ対シ右自己ノ知レル事実ヲ告知スル義務アルモノト解スルヲ相当トス然ルニモ拘ラス平一ハ成田医師ニ対シ右事実ヲ告ケサリシモノナルヲ以テ他ニ特段ノ事由ナキニ於テハ少クトモ平一ニ重大ナル過失アリタルモノト謂ハサルヲ得ス」（東京地判昭一五・三・一四新聞四五四六・一二）。

（ロ）　被保険者の血族の健否・死亡年齢・死因　　被保険者の血族ことに尊族親一般について、これに遺伝的疾病があるか否か又はその健否・死亡年齢・死因の如何等は重要事実であるとした判決がある【17】。

【17】　被保険者は自分の実子でない被保険者を自分の実子であると称して保険契約を締結した。契約締結の際、保険契約者は、被保険者の父母、祖父母の健否、死亡年齢、死因、遺伝的疾病の有無についても告知しているが、自分の実子でない者を実子と告げたため、これらの告知もすべて不実のものとなつた。これが重要事項につき不実のことを告げたことになるか否かが問題である。原審は、重要事実ではないとした（新聞九六二・二四）。保険会社側が上告したのに対し、大審院はこれを容れて、つぎのような理由で破毀差戻の判決をした。

「仍テ按スルニ商法第四百二十九条ニ所謂重要ナル事実又ハ重要ナル事項トハ被保険者ノ生命ニ関シ危険ヲ測定スルカ為ニ必要ナル事実又ハ事項ニシテ保険者カ之ニ依リ契約ヲ締結スルヤ否ヤ又ハ約定ノ条件ニテ契約ヲ締結スルヤ否ヤヲ決スルニ付キ影響ヲ及ホスヘキモノヲ指称スルモノトス而シテ人生ノ天寿疾病ノ原

因ヲ以テ独リ後天性ノミナラス尚ホソノ遺伝性ニ基クコト多キヲ認ムル現時医学上ノ状況ニ在リテハ血族殊ニ尊族親ニ遺伝的疾病ノ存スルヤ否ヤ又ハ其健否死亡年齢其死因等ノ如何ハ卑属親ノ生命ニ関シ危険ヲ測定スルカ為メニ必要ナル事実又ハ事項ニシテ保険者カ之ニ依リ契約ヲ締結スルヤ否ヤ又ハ約定ノ条件ニテ契約ヲ締結スルヤ否ヤヲ決スルニ付キ影響ヲ及ホスヘキモノナルコト疑ヲ容レス然ラハ之等ノ事実又ハ事項ニ付キ保険契約者又ハ被保険者カ悪意又ハ重大ナル過失ニ因リ不実ノ告知ヲ為シタル場合ニハ同条但書ニ該当スル場合ノ外保険者ハ契約ノ解除ヲ為シ得ルコトモ亦明ナリトス本件ニ付キ上告人カ原審ニ於テ被保険者遠藤こうカ訴外遠藤なお高料文吉ノ間ニ出生シタルモノナルニ保険契約者遠藤多十及被上告人間ノ実子ナリト虚偽ノ告知ヲ為シ従テ直系尊族タル実父母祖父母竝ニ兄弟ノ血統事実其健否死因死亡年齢等生命ノ危険測定ニ最重大ナル関係ヲ有スル事実ニ付悪意若クハ重大ナル過失ヲ以テ不実ノ告知ヲ為シタルヲ以テ上告会社ハ大正三年三月二十五日其事実ヲ知了シ之ヲ理由トシテ同年四月六日契約解除ノ意思表示ヲ為シタリト主張シタルコトハ原審ニ於ケル上告人提出ノ準備書面口頭弁論調書ノ各記載竝ニ原審判決事実摘示ニ徴シ明ナルニ原審ハ此点ニ対シ単ニ其親族ナルヤ否ヤハ生命ニ関スル危険ヲ測定スルニ付影響ヲ及ホスヘキ事項ト謂フヲ得スト説示シテ輙ク上告人ノ主張ヲ排斥シタルハ法規ノ解釈ヲ誤ル不法アルモノト謂ハサルヘカラス」（大判大四・四・一四民録二一・四八六）（なお、本件差戻後の控訴審判決は、東京控判大四・七・一五評論五商七三五、上告審判決は、大判大五・一一・二四民録二二・二三〇九‖評論五商八七一）。

（八）　被保険者の父母の健否・死亡年齢・死因　　これについては、被保険者の父親が七十余歳の老年にて脳溢血により死亡した事実は重要事実ではないとした判決（東京地判大六・四・一二評論六商二四五）、及び、被保険者の父親が精神病で自殺したという事実は重要事実であるとした 判決（東京地判昭八・九・一一新聞三六一二・七‖評論二二商五七九‖新報三四七・一九）がある。

（ニ）　被保険者の兄弟姉妹の健否・死亡年齢・死因等　　大阪控判明四四・一二・一四（新聞七六八・二一）

は、被保険者の兄及び姉がそれぞれ疫痢及び急性肺炎で死亡した事実を重要事実でないとした。大阪区判大四・三・一（新聞一〇一四・二六）は、被保険者の兄弟が肺炎で死亡した事実は重要事実でないとした。東京地判大五・二・一七（評論五商二九四＝新聞一一一六・二七）は、被保険者の兄が肺結核にて死亡した事実は重要事実であるとした。東京地判大六・四・一二（評論六商二四五）は、被保険者の兄が肺結核及び腸結核で死亡した事実は重要事実であるとした。東京控判大一二・二・二六（評論一二商四三）は、被保険者の実姉が肺結核若しくは肋膜炎で死亡した事実は重要事実であるとした。東京地判昭一二・一一・二二（新聞四二二二・六＝評論二七商六九）は、被保険者の兄の膀胱結核の既往症は重要事実であるとした。東京地判昭一五・五・三一（新聞四六一二・九＝評論二九商三〇七）は、被保険者の兄が結核性肋膜腹膜炎で死亡した事実を重要事実と認めた。

（ホ）被保険者の子の健否・死亡年齢・死因等　被保険者の娘が肺結核で死亡したことは重要事実であるとした大審院判決がある（大判大九・四・一六民録二六・五三七）。

（ヘ）被保険者の伯叔父母従兄弟姉妹の健否・死亡年齢・死因等　被保険者の叔父及び従兄弟が保険契約締結以前にいずれも結核性疾患により死亡した事実が重要事実かどうか争われた事件がある。第二審東京控訴院は、これを重要事実であるとした。

「被保険者ノ右ノ如キ血族カ二人迄モ二十余歳ノ弱年ヲ以テ孰レモ結核性疾患ニテ死亡シタリトノ事実ハ被保険者ノ生命ノ危険ヲ測定スル上ニ於テ重要ナル関係ヲ有スルモノト認ムヘキヲ以テ」（東京控判大一二・四・一六評論一二商一七二）

しかし、その上告審判決たる大判大一三・四・一八（民集三・一三二）（後出【39】）は、このような事実は当然に重要事実であるということはできなく、これを重要事実とするにはその理由を示さなければならない、として原判決を破棄した。

ところが、その後大正一五年九月二七日の判決（新聞二六三九・九）（後出【37】）では、大審院は、保険会社が質問表において被保険者の伯叔父母従兄弟姉妹の病症の有無について告知を求めている以上、漫然と重要事項とした証左なしとするのは、重要な証拠の判断を遺脱した不法があることとなる、とした（なお、質問表の効力については後述する）。

（ト）　被保険者の配偶者の健否・死亡年齢・死因等　東京控判大三・一二・一九（評論三商三一七）は、被保険者の妻が保険契約締結の約二ヶ月前に肺結核で死亡した事実を重要事実でないとした。大判大五・七・一二（民録二二・一五〇四‖評論五商七三〇）は、被保険者の夫が保険契約の締結前に肺結核及び痔瘻で死亡した事実を重要事実とした（判批、竹田・京法一二・七〇六）。大判大一五・一〇・一五（民集五・七三三）は、被保険者の前配偶者が保険契約締結の十数年前肺結核で死亡した事実は重要事実ではないとした。

（チ）　被保険者の年齢

(a)　およそ人の死亡率は、人が年をとるに従い増大する。それ故、被保険者の年齢は重要事実と言わねばならず、告知を要することは疑いがない。しかしながら、被保険者の年齢の不実告知については、従来から普通保険約款において特別の規定が設けられているのが通常であり、年齢の告知の問題は約款をはなれて論ずることができない。約款規定の細目は、会社によりまた時代により、必ずしも同じではないが、大体においてつぎのような内容のものである。すなわち、実際の年齢が当該保険種類の保険料表に掲げた年齢（保険可能年齢）の範囲を超えているときは保険契約を無効とし、実際の年齢が当該保険種類の保険料表に掲げた年齢の範囲内にあるときは、年齢を更正するとともに保険料の不足分の支払を求め、又はその超過分を返還する、というのである。つぎに、その具体例として、往時の模範約款及び近時の二・三の普通約款の関係規定をかかげる。

明治三三年模範普通保険約款

第一三条　「左の場合に於ては保険契約は無効とす

（一号及び二号は省略する）

三　保険申込書に記載したる被保険人の年齢に錯誤ありたる場合において実際の年齢が契約の当時会社の保険料表に掲げたる年齢を超過したるとき」

第一六条　「保険申込書に記載したる被保険人の年齢に錯誤ありたる場合において第一三条第三項に該当せさるものは左の方法に依りて処分するものとす

一　錯誤の年齢が実際の年齢より多かりしときは会社が被保険人の身体を診査し年齢相当と認めたるときに限り保険料を減少すへし

二　錯誤の年齢が実際の年齢より少かりしときは保険料の不足額に一箇年百分の六の複利を附加して領収すべし保険金支払の時期到達以前に此手続をなさざりしときは保険料不足額の割合を以て保険金額を削減し且つ保険金額の百分の五を超過せざる金額を控除すべし」

明治四四年模範普通保険約款

第一四条　「保険申込書に記載したる被保険者の年齢に錯誤ありたる場合には左の方法に依り処分す

一　実際の年齢が保険契約の当時会社の保険料表に掲げたる年齢の範囲外なりしときは保険契約は無効とし、既に払込みたる保険料を保険契約者に払戻すべし

二　錯誤の年齢が実際の年齢よりも多かりしときは保険料の差額を保険契約者に払戻し且将来の保険料を更

正すべし

三　錯誤の年齢が実際の年齢より少かりしときは保険料の不足額に一箇年百分の六の複利を附加して領収し且将来の保険料を更正すべし

保険金支払の時期到達以前に此手続を為さざりしときは保険料不足額の割合を以て保険金額を削減すべし」

日本生命利益配当付養老生命保険（34普通）普通保険約款（昭和三四年四月一日制定）

第二七条「保険契約申込書に記載された被保険者の年齢に誤りのあつた場合、実際の年齢による契約年齢が会社の定める範囲外であつたときは、保険契約は無効として、すでに払い込んだ保険料を保険契約者に払い戻し、その他のときは、約款細則によつて処理します。」

同約款細則

第一三条「実際の年齢が保険契約締結の当時、会社の当該保険種類の保険料表の範囲内であつた場合には、実際の年齢に基いて保険料を更正し、すでに払い込んだ保険料に超過分があれば保険契約者に払い戻し、不足分があれば領収します。ただし保険金または癈疾給付金支払の事由発生後は、過不足分を支払金額と清算します。

2　実際の年齢が、保険契約締結の当時は当該保険種類の保険料表の最低契約年齢に足らなかつたが、その事実の発見された時は契約年齢に達していた場合には、最低契約年齢に達した日に保険契約を締結したものとみなし、また、実際の年齢が、当該保険種類の保険料表の最高契約年齢をこえていた場合でも、保険種類を変更して契約することができるときは、その保険種類で保険契約を締結したものとみなして、前項の規定を準用します。」

第一生命特別養老保険普通保険約款（昭和三一年四月改正）

第三二条　年齢の誤りの処理　「契約申込書の記載による被保険者の年齢に誤りがあつた場合には、次の方法で処理します。

(い)　実際の年齢が、契約の当時、会社の保険料表による契約年齢の範囲外であつた場合には、契約は無効とし、既に払い込んだ保険料は契約者に払い戻します。ただし、契約の当時は、最低契約年齢に足りなかつたが、その事実の発見された時既に契約年齢に達していた場合には、最低年齢になつた日に契約したものとして取扱います。

(ろ)　実際の年齢が、契約の当時、契約年齢の範囲内であつた場合には、実際の年齢に基いて保険料を更正し、既に払い込んだ保険料に超過分があれば、契約者に払い戻し、不足分があれば、会社の定めた利息をつけて追徴します。ただし、保険金支払の事由発生後は、超過分があれば、保険金受取人に支払い、不足があれば、その元利金と不足分に相当する保険金額とを比較して少い方の金額を保険金から差し引きます。」

明治生命養老保険普通保険約款（昭和三三年四月一日改正）

第三八条　「契約申込書に記載された被保険者の年齢に誤のあつた場合は、次の方法で処理します。

1　実際の年齢が契約の当時会社の契約する年齢の範囲外であつた場合には、契約を無効とし、既に払い込んだ保険料を契約者に払い戻します。但し、実際の年齢が契約の当時は最低契約年齢に足りなかつたが、その事実の発見された時既にそれ以上となつていた場合には、最低契約年齢になつた日に契約が成立したものとして取り扱い、既に払い込んだ過剰保険料を契約者（保険金支払の事由発生後は、保険金受取人）に支払います。

2　実際の年齢が契約の当時会社の契約する年齢の範囲内であつた場合には、実際の年齢に基いて保険料を更正し、既に払い込んだ保険料に超過分があれば契約者に払い戻し、不足分があれば会社の定めた率の利息を付けて徴収します。但し、保険金支払の事由発生後は、超過分があれば保険金受取人に支払い、不足分があればその元利金を保険金から差し引きます。」

(b)　かような約款の規定については、まずその効力いかんが問題となるが、大審院判決を含む多数の判決はこれを有効と認めている。

大正六年三月二〇日（評論では五月一二日）の大審院判決（新聞一二六一・二七＝評論六商二五八）で問題となっている保険契約は、二五年満期の養老保険契約である。案件の保険会社の保険料表では、二五年満期の養老保険における保険可能の年齢の範囲は、満一五年から満四五年までである。保険契約申込証には、被保険者は明治元年一〇月一五日生れと記載してあるが、実際は明治元年六月一三日生れである。保険契約成立の時における被保険者の実際の年齢は、満四五年七ヶ月となる。従つて、これは本件保険会社の当該保険種類の保険可能の年齢の範囲を超えている。本件保険約款にも、かような場合は契約が無効となる旨の規定がある。被保険者が死亡して保険金受取人が保険金の支払を求めたところ、保険会社は右の理由により保険契約が無効であることを主張した。

原審（東京地裁）は、商法四二九条は強行規定であつて、実際の年齢が保険可能年齢の範囲外にあるとき保険契約を無効とする旨の約款規定は無効であるとし、解除を主張しない保険会社に保険金の支払を命じた。その判決理由は、つぎのように説く。

【18】「被控訴人（保険会社）ハ右約款ニ基キ本件保険契約ノ無効ヲ主張シ保険金支払ノ義務ヲ免カレ得ヘキヤ否ヤノ争点ニ付キ案スルニ凡ソ被保険者ノ年齢ハ保険者カ保険契約ヲ締結スルヤ否ヤ又ハ同一ノ条件ニテ契約ヲ締結スルヤ否ヤヲ決スルニ付キ重要ノ事項ナルヲ以テ商法第四百二十九条第一項ニ所謂重要ナル事項ナリトス而シテ同号ニ依レハ保険契約者又ハ被保険者カ悪意又ハ重大ナル過失ニ依リ重要ナル事項ニ付キ不実ノ事ヲ告ケタル時ハ保険者ハ契約ノ解除ヲ為ス事ヲ得ル旨規定セリ故ニ保険者カ右重要ナル事実ヲ告ケス又ハ重要ナル事項ニ付キ不実ノ事ヲ告ケタルヲ理由トシテ保険金支払ノ義務ヲ免レントト欲セハ必スヤ同条

所定ノ契約ノ解除ヲ為スコトヲ要スルモノトス蓋シ商法第四百二十九条第一項ハ保険契約者被保険者又ハ保険金受取人ノ利益ノ為メニハ強行規定ナリト解スルヲ穏当トスヘケレハナリ従テ本件ニ於テハ被控訴人カ被保険者ノ年齢ニ錯誤アルノ故ヲ以テ保険金支払ノ義務ヲ免レント欲セハ疑モナク前記法条ニ従ヒ契約解除ノ方法ニ出ツ可ク当事者ノ合意アルモ本件契約ヲ無効トナスカ如キ控訴人等ノ不利益ノ為メニ之ヲ変更スル事ヲ得サルモノニシテ前記約款第八条ノ此点ニ関スル部分ハ結局無効ナリトスサレハ右解除ヲ主張セサル被控訴人ハ本件保険金支払ノ義務ヲ免カルルコトヲ得ス」（東京地判大五・五・二九新聞一一四一・二五＝評論五商七二七、なお、第一審判決は東京区判大四(ハ)五三一号判例一巻民事三〇〇）。

保険会社側が上告したのに対し、大審院は、商法四二九条は任意規定であり、また問題の特約は公序良俗に反するものではなく有効であるとして、原判決を破毀した。

【19】「案スルニ原裁判所ノ判示ニ係ル約款即チ保険契約申込書ニ記載シタル被保険者ノ年齢ニ付キ錯誤アリタル場合ニ於テ其真正ナル年齢カ保険契約ヲ為スノ当時保険者ノ保険料表ニ掲ケタル年齢ノ範囲内ニ在ラサルトキハ該契約ヲ無効トスル特約ハ公ノ秩序又ハ善良ノ風俗ニ反スル事項ヲ目的トスル法律行為ニ非サルヲ以テ契約自由ノ原則ニ従ヒ有効ナルコト言ヲ俟タス又商法第四百二十九条ノ規定ハ所謂強制的規定ニ非サルヲ以テ之ニ異ナル別段ノ意思表示ヲ為スヲ妨ケサルコトハ当院ノ判例トシテ認ムル所ナリ（大正五年(オ)第四百十四号同年十一月二十一日当院第一民事部判決）故ニ前示ノ特約ト被保険者ノ年齢カ商法第四百二十九条ニ所謂重要ナル事項ニ該当スルモノトスルモ其事ニ因リ無効ト為ラス然ルニ原裁判所ハ事茲ニ出テスシテ被保険者ノ年齢ヲ商法第四百二十九条ニ所謂重要ナル事項ナリトシ又同条ヲ所謂強制的規定ナリトシ『本件ニ於テ被控訴人（上告人）カ被保険者ノ年齢ニ錯誤アルノ故ヲ以テ保険金支払ノ義務ヲ免レント欲セハ疑モナク前記法案（商法第四百二十九条第一項）ニ従ヒ契約解除ノ方法ニ出ツヘク当事者ノ合意アルモ本件契約ヲ無効トナスカ如キ控訴人等ノ不利益ノ為ニ之ヲ変更スルコトヲ得サルモノニシテ前記ノ約款第八条ノ此ノ点ニ関スル部分ハ結局無効ナリトス左レハ右解除ヲ主張セサル被控訴人ハ本件保険金支払ノ義務ヲ免

ルルコトヲ得ス』ト判示シ上告人敗訴ノ判決ヲ言渡シタルハ違法ニシテ原判決ハ到底破毀ヲ免カレス……」（大判大六・三・二〇——評論では大六・五・一二——新聞一二六一・二七＝評論六商二五八）。

このほか、契約当時の被保険者の実際の年齢が保険可能年齢の範囲外である場合につき、かかる場合には保険契約が無効となる旨の約款の規定を適用して、保険契約を無効としたものとして、東京地裁大正六年四月三〇日判決（評論七商四三三）、その控訴審判決たる東京控訴院大正七年一〇月二一日判決（評論七商六七三）、及び大阪控訴院大正一三年（ネ）三七八号判決（裁判年月日不明、新聞二三五八・二二）などがある。はじめの二つの判決の事案では、契約当時における被保険者の実際の年齢は、保険可能年齢の最高限を超えること四年であった。最後の判決の事案では、契約当時における被保険者の実際の年齢は、保険可能年齢の最低限に達せず、これに八ヶ月不足していた。

なお、被保険者の年齢の不実告知があった場合につき、約款の規定を顧慮せず、直ちに商法の規定を適用して保険契約を無効とした古い下級審判決がある（函館区判明四〇・九・一二新聞五二九・一三）。案件の被保険者は嘉永六年一二月一七日生れであるところ、文久三年生れと告知した。保険契約締結の時期は明治三一年三月六日であって、被保険者は当時四六歳であるのを三六歳と告知したことになる。この実際の年齢が保険会社の保険可能年齢の範囲外かどうかは、法律新聞の記載からは明らかでない。保険約款には明治三三年模範約款一六条と同趣旨の規定があるようであって、保険金受取人は保険金額一〇〇円のところ、二〇円余を差引き、七九円四〇銭二厘の支払を求めている。裁判所は、約款の規定を何ら顧慮することなく、直ちに商法四二九条を適用して保険契約を無効とした。しかしこれは少数判例である。

(c)　つぎに、かかる約款の規定は一応有効であるとしても、その解釈については種々問題があるように思われる。かかる約款の規定は、告知義務に関する商法の規定を、年齢の告知に関しては変更する意味をもつものと解しうるが、一体それをどこまで変更するものと見るべきであるか。

まず、実際の年齢が保険可能の年齢の範囲外である場合には保険契約を無効とする規定について考えよう。告知義務違反の効果として商法が定めているところは、保険者が解除権を取得するということであるが、この約款規定は、保険者の解除をまたず、直ちに契約を無効たらしめる趣旨であることは明らかであると思う。しかし、商法の規定では、告知には特別の方式を必要としない。約款規定が保険申込書に記載された被保険者の年齢について云々しているのは、年齢の告知は必ず保険申込書によるべく、他の方法による告知は保険者に対して効力を生じない、とする趣旨であるか（なお、この点については大判大五・一〇・二一民録二二・一九五九、前出【8】参照）。商法の規定によれば、告知義務違反の効果を生ずるためには、告知義務者に悪意又は重大な過失があることを要するが、約款の規定は告知義務者に悪意又は重大な過失がなくとも契約を無効とする趣旨と解すべきであるか。商法の規定によれば、保険者が事実を知り又は過失によって知らなかったときは、保険者は解除権を取得しないが、約款規定によればこのような場合にも保険契約が無効となると解すべきであるか。商法が定めている解除権の除斥期間との関係はどうか。また、実際の年齢が保険可能の年齢の範囲内である場合は保険料を正しい年齢に応ずる保険料に訂正し、既収保険料との差額を追徴または返還するという規定についていえば、この規定は、保険者の解除権を排除するものであることはほぼ明らかであると思う。しかし、告知義務者に悪意又は重大な過失がないときでも、また保険者に過失があるときでも、保険者は常に保険料の訂正をなしうるのかどうか。

以上二・三の例をあげたが、被保険者の年齢の不実告知に関する約款規定の解釈については種々問題があるように思われるが、わが国では従来あまり議論されていないようである。つぎにかかげる昭和一三年三月一八日の大審院判決（大審院判決全集五輯一八号二二頁）は、かような問題の一つを扱つたものとして重要である。

案件の被保険者の保険契約締結当時における実際の年齢は、五五歳である。診査報状にはこのことが正しく記載されている。ところが、保険契約申込証にはこれが誤つて五四歳と記載されている。保険契約は、被保険者は五四歳であるものとして締結された。そして五五歳という年齢は、本件保険種類の保険可能の年齢の最高限をこえており、約款には、保険契約申込書に記載された被保険者の年齢に錯誤があつた場合において被保険者の本当の年齢が保険可能の年齢の範囲をこえているときは保険契約を無効とする旨の規定がある。被保険者が死亡して、保険金受取人が保険金の支払を求めたのに対し、保険会社は右のことを理由として保険契約の無効を主張した。

原審は、保険会社が診査報状の記載を看過し、申込書の記載のみを見て、被保険者は五四歳であると信じ、これを基礎として保険契約を締結したのは重大な過失であるとし、民法九五条但書を適用して、保険会社から無効の主張をすることはできないと判示した。

保険会社は、本件保険契約は約款の規定によつて無効となるのであつて、民法九五条により無効となるのではないから、民法九五条但書をここに適用するのは不当であり、またかりに同条但書の適用があるものとしても、診査報状の年齢の記載を看過したからといって直ちに保険会社に重過失ありとするのは不当である、と主張して上告した。

大審院は、つぎのような理由で上告を棄却した。

【20】「被保険者ノ年齢ハ保険者カ負担スヘキ危険ノ測定ニ重要ナル関係ヲ有スルヲ以テ其ノ錯誤ハ保険契約ノ無効ヲ来スベキハ勿論ナリ然レトモ斯ル錯誤ノ存スル場合ニ於テモ実際ノ年齢カ保険契約ノ締結ヲ可能トスル年齢ノ範囲内又ハ其範囲ニ達セサルモノナル限リ保険料ノ更正等ノ方法ヲ以テ契約ヲ変更スルトキハ当初ヨリ錯誤ナキ年齢ニヨリ契約カ締結セラレタルト同一ノ結果トナリ保険契約者ニ何等ノ損害ヲ与フルコトナクシテ保険者ハ一旦其ノ締結ニ成功シタル契約上ノ利益ヲ維持シウルモノナリ所論ノ約款ハ以上ノ目的ヲ達セントスルノ趣旨ニ外ナラス唯被保険者ノ年齢カ本件ニ於ケルカ如ク以上ノ範囲ヲ超過スル場合ニ於テハ右ノ方法ニ依ルモ之ヲ有効ナルモノトナスニ由ナキヲ以テ既ニ払込ミタル保険料ニ所定ノ金利ヲ附シ返還スルモノトナシタルニ過キス民法第九五条但書ノ規定ヲ排除セントスルノ趣旨ハ毫モ之ヲ窺フコトヲ得ス払戻スヘキ金額ニ複利ヲ附加ストノ定メノ如キハ上告会社カ保険事業ノ経営者トシテ其ノ収受シタル金銭ニ複利ヲ生セシメウヘキ自信ヲ有スルニ由ルノミ之ヲ以テ重過失ノ責任ヲ免レタリト為シ難ク其ノ他上告人ノ主張スルトコロハ一モ首肯スルニ足ルモノナシ

（中略）

然レドモ原判決ノ確定シタル如ク保険申込書ニ記載セラレタル被保険者ノ生年月日ト診査報状ニ記載セラレタル夫トカ相違スルカ如キ場合ニ於テハ保険会社トシテハ此点ニ付疑問ノ生ゼザルヲ得サルトコロナリ然ルニ何等之ヲ覚知スルコトナク契約ニ応ジタリトセバ甚シク注意ヲ欠キタルモノト云フノ外ナク判示民法ノ規定ニ依リ契約ノ無効ヲ主張スルコトヲ得ザルヤ勿論ナリ乙第五号証ノ診査報状ガ所論ノ如ク主トシテ被保険者ノ健康状態ヲ明ニスルコトヲ目的トシ之カ調査ノ衝ニ当ルモノハ被保険者ノ健康ニ関スル記載・診査医

ノ診査意見等ニ其ノ注意ヲ傾倒シ精神ヲ集注スルモノナリトスルモ上告会社カ契約ノ諾否ニ付キ最終ノ決定ヲナスニハ各関係書類ヲ通シ今一応綜合的ノ調査ヲ為スコトヲ要スルハ当然ナレハ論旨ハ理由ナシ
若シ上告会社ニ於ケル事務取扱方法カ所論ノ如クニシテ本件ニ於ルカ如キ年齢ノ相違ハ到底之ヲ発見スルコト能ハズトセバ上告会社ノ事務取扱方法ニ重大ナル欠陥アリト云フベク此点ニ於テ重過失ノ責ヲ免ル、コトヲ得ズ」（大判昭一三・三・一八判決全集五・一八・二二。判批、三宅・生命保険契約法の諸問題――大森教授との共著――四四九頁）。

思うに、本判決の結論は、おそらく正当としなければならないであろう。しかしその理由づけは、とくに民法九五条但書の適用という形でことを処理している点において、大いに問題がある。保険者の過失の問題として考えるのであれば、むしろ商法六七八条但書の適用によるべきではなかったかと思われる（同旨、三宅・前掲）。もっとも、保険者の過失ということは、告知義務者の方から告知がなく、保険者が当該事実を知らないときに問題となることであるが、本件の場合は、診査報状には正確な記載があるので、年齢について正しい告知もあったと解し、従って、本件は、同一の告知事項について正しい告知と間違った告知とが同時になされた場合――より一般的に言えば、告知が多義的である場合――その効果いかんの問題として考えることもできるのではないかと思う。

（リ）　被保険者の職業　およそ人の職業には、他の職業に比して危険度の高いものがある。このことは、例えば航空機の塔乗、火薬工場の作業、あるいは石材の採取というような職業を考えれば明らかである。従って職業にも、その種類によっては被保険者の生命に関し危険を測定するがために必要な事項たるものもあると考えられる。具体的にいかなる職業がこれに属するかは、それぞれの職業の性質を考え、保険の技術に照してこれを決しなければならない。

この点に関する判例はきわめて少ない。僅かに、被保険者の本当の職業は理髪業であるのにこれを農業と告知したについて告知義務違反の成立を否定したもの【21】、及び、被保険者は小学校の教員であるのにこれを貿易商と告知したについて、やはり告知義務違反の成立を否定したもの【22】、の都合二件があるに止まる。

【21】「清太郎ハ被控訴会社ノ検査医ニ対シ自己ノ職業ヲ農ト答ヘ居ルニ係ハラス松田三平ノ証言及ヒ乙第七号証ニ依レハ同人ハ明治三十二年頃村役場ノ小使ヲ為シ居リ後理髪業ヲ営ミ居リタルコトヲ推知シ得ヘキニヨリ同人カ職業ヲ農ト答ヘタルハ故意又ハ過失ニヨリ不実ノ事ヲ告ケタルモノナレトモ甲第四号証及ヒ油屋熊八ノ当院ニ於ケル証言ニ依レハ被控訴会社ハ被保険者ノ職業ヲ以テ保険契約ニ於ケル重要事項ト認メ居ラサルコト明ナルノミナラス保険契約ニ重要ナル事項トハ保険セラレタル危険ノ分量ニ影響ヲ及ホスヘキ事項ノ謂ニ外ナラスシテ農業ト理髪業トハ其職業ノ性質上危険ノ程度ニ大差ナキニヨリ清太郎カ保険契約ノ当時無職業ノ（「其職業ノ」の誤植か）理髪職ナルヲ農業ナリト詐称シタリトテ保険契約ハ無効ナルモノニ非ス」（大阪控判明三八・一二・一五新聞三二九・八）。

【22】「商法第四百二十九条ハ被保険者ノ生命ニ関スル危険測定ノ為メ重要ナル事実又ハ事項申告ノ義務ヲ保険契約者ニ負ハシメタルモノナレハ被保険者ノ生命ニ関スル危険測定ニ関係ヲ有セサル職業ヲ詐リタルカ如キハ同条ノ所謂重要ナル事実又ハ事項ニ該当セサルモノトス依テ本件ノ被保険者カ保険契約ヲ為スニ当リ小学校教員ナリシヲ貿易商ナリト詐リタリトモ危険ノ多少ニ付両者ノ間毫モ軒輊ナシト原院ノ判示シタルハ相当ニシテ……」（大判明四〇・一〇・四民録一三・九三九）。

（ヌ）　他の保険会社との保険契約に関する事項　　他の保険会社との保険契約に関する事項とし

て、他の会社に生命保険契約の申込をして拒絶せられた事実、あるいは他の会社との間にすでに生命保険契約が締結せられている等々の事実が、重要事実であるか否かが問題となる。判例上問題となったところを見るとつぎのとおりである。

(a)　他の保険会社に生命保険契約の申込をして拒絶せられた事実　　かような事実は、重要事実である。けだし、保険会社が生命保険契約の申込を受けてそれを拒絶するのは、被保険者の生命に関する危険を測定し不利益と認めた場合であることが普通であるから、他の会社で拒絶されたという事実は、被保険者の生命に関する危険が大きいことを示すものといえるからである【23】。

【23】　「依テ審按スルニ生命保険契約ノ拒絶ハ常ニ必スシモ危険測定ノミニ関スルモノニアラスシテ上告人所論ノ如ク保険者ニ於テ保険契約者カ保険料ヲ支払フヘキ資力ナキモノト考量シタルカ如キ場合ニモ拒絶スルコトアルヘシト雖モ保険契約ノ拒絶ハ被保険者ノ生命ニ関スル危険ヲ測定シ不利益ト認メタル場合ニ存スルコト普通ナレハ契約ノ申込ヲ受ケタル際他会社ニ於テ契約ノ拒絶ヲナシタルコトノ知レタルトキハ危険多キモノト推定シ医師ヲシテ厳密ナル診査ヲ為サシメ或ハ契約ノ締結ヲ拒絶スルコトアルヘクシテ契約ノ申込ヲ受ケタル際此ノ如キ事実ヲ知ルヘキ必要アルカ故ニ原院カ保険契約申込ノ拒絶ハ商法第四二九条ニ所謂重要ナル事実ト解釈シタルハ相当ナリ」（大判明四〇・一〇・一四民録一三・九三九）（同趣旨の判決として、大判明四〇・一〇・一四新聞四六〇・一三、京都地判大五・五・一二判例一巻民事四二七頁、東京控判大六・一〇・一二評論六商七七二、同大八・一二・一六評論八商七八二等がある。反対の趣旨の下級審判決として、東京地判大五・一〇・三判例二巻民事九六頁、同大五・一二・一一判例二巻民事三六四頁があるが、これらは少数判決といわねばならない）。

なお、他の保険会社の拒絶がその診査医の誤診による場合でも、拒絶されたという事実自体は告知を要する重要事実たることを失わない、とした判決がある。大正一〇年五月二〇日の大審院判決（民録二七・九五三）がそれであるが、案件の被保険者は、はじめ帝国生命に対して生命保険契約の申込をしたところ、肺結核第二期の症状にあるものと診断せられて、契約の締結を拒絶された。被保険者はこの事実を告知しないで、今度は万歳生命に生命保険の申込をし、保険契約が成立するに至った。万歳生命は、被保険者が以前に帝国生命で拒絶されたことを告知しなかったのは告知義務違反であるとし、これを理由として保険契約の解除を主張した。原審は、「たんに他の生命保険会社より保険契約の締結を拒絶せられた事実自体は、直ちに生命危険測定上の重要事項なりと解し難きは勿論、被保険者タキが肺結核にかかりおりしものと認めえざるをもつて、本件保険契約に際し帝国生命保険株式会社と保険契約を締結するに至らざりし事実に付告知せざりしとて保険契約上重要なる事項を告げざりしものとなすをえず」と判示した(大阪控判大一〇・一・二八新聞一八一六・二〇)。保険会社がこれを不当として上告したのに対し、大審院は、帝国生命の診断が誤診であつたとしても、拒絶せられた事実自体はやはり重要事実であるとした。

【24】　「或保険会社ニ対シ保険契約ノ申込ヲ為シタルトコロ被保険者ハ例ヘハ甲ナル疾病ニ罹レルモノト診定セラレタル結果保険契約ハ締結セラルルニ至ラサリシ事実アリトセムニ後日他ノ保険会社ニ対シ更ニ保険契約ノ申込ヲ為ス際此事実ヲ告知セサリシトキハ縦令曩ニ為サレタル診定ハ誤リニシテ被保険者ハ甲ナル疾病ニハ罹リ居ラサリシトスルモ尚且告知義務ノ違背タルヲ免レサルモノトス蓋甲ナル疾病ニ罹リ居リシト云フコトハ誤診ナルニモセヨ已ニ斯ル診定ヲ受クル程ノ者ハ他ニ例ヘハ乙ナル疾病ニ罹リ居ラサリシコトヲ保シ難ク又未タ何等ノ疾病ニハ罹リ居ラサリシトスルモ或種ノ疾病ニハ犯サレ易キ素質ヲ有スルモノナルコトモ有リ得可ク要スルニ斯ル被保険者ノ健康状態ニ対シテハ慎重ナル考量ヲ為スノ必要アルカ故ニ若シ後ニ申込ヲ受ケタル会社ニシテ曩ニ他ノ会社ニ対シ為サレタル申込カ不成功ニ了リシトノ事実ヲ知ルトキハ診査ノ際特別ノ注意ヲ払フノ必要有リ又保険契約ヲ締結ストスルモ特別ノ条件ヲ付スルノ必要モ有リ得ヘク何レ

ニセヨ危険測定ノ上ニハ必ス顧慮セサル可ラサル事項ナルヲ以テナリ」(大判大一〇・五・二〇民録二七・九五三・判批、竹田・論叢一〇・四九七)。

(b) 他の保険会社に保険契約の申込をして、再診査に付された事実　かかる事実も、重要事実である。他会社の拒絶が重要事実であるのと同様の理由による【25】。

【25】「保険者ニ於テ保険契約ノ申込ヲ受ケ一旦嘱託医ヲシテ被保険者ノ身体ヲ診査セシメタル上更ニ再診査ニ附スルハ被保険者ノ健康状態ニ何等カノ疑念ヲ有スルカ乃至ハ未タ確信ヲ有スルニ至ラサル場合ナルコト勿論ナルヲ以テ保険者ニ於テ被保険者カ他ノ保険者ニ保険契約ヲ申込ミ再診査ニ附セラレタルコトヲ知リタランニハ或ハ保険契約ノ締結ヲ拒絶スルカ或ハ同一条件ヲ以テ契約ヲ締結セサルヲ通常トスルカ故ニ被保険者カ他ノ保険者ニ申込ヲ為シ再診査ニ附セラレタルヤ否ヤハ保険者カ保険契約ヲ締結スルニ際シ知ラサルヘカラサル事項ニシテ商法第四百二十九条ニ所謂重要ナル事項ナリトス」(東京地判昭七・七・一五評論二一商五六五)。

(c) 他の保険会社との生命保険契約が解除せられた事実　判例は、かような事実も重要事実であるとする【26】。

【26】「保険契約ノ解除カ商法第四百二十九条ニ所謂重要ナル事実ニ関スル不告知又ハ不実ノ告知ヲ理由トスル保険者ノ単独ノ意思表示ニ因リタルトキハ此事実ハ後ノ保険者ノ保険契約締結ニ関スル決意ニ影響ヲ及ホスコト疑ナキモ仮令保険契約カ前保険者ノ解除申込ニ対スル保険契約者ノ承諾ニ因リ解除セラレタル場合ニ在リテモ其解除申込ヲ為シタル原因カ実際生命ニ危険ヲ及ホス疾病等重要ナル事実ニ関スル不告知又ハ不実ノ告知アリタルカ為メナルコトナキニアラス而シテ保険者ハ解除申込ノ際之ヲ理由トセス保険契約者モ之ヲ認メスシテ解除ヲ承諾スルコトナキニアラサルヲ以テ保険契約ノ解除セラレタル事実ハ其単独行為ニ因リタルトキハ勿論合意ニ因リタルトキト雖モ前示ノ如ク保険者ノ解除ニ基キタルトキハ後ノ保険者ニ於テ保

険契約締結ノ際知ラサルヘカラサルモノニ属シ亦（中略）商法第四百二十九条ニ所謂重要ナル事実ニ該当スルモノト謂ハサルコトヲ得ス」（大判大六・一二・五民録二三・二〇五一。判批、竹田・京法一三・八三六。なお、本件原判決は、反対の趣旨を判示した――大阪控判大六・六・二五評論六商四一四=新聞一二八一・二六）。

(d) 他の保険会社に生命保険契約の申込をしたが、保険会社の側からする申込の拒絶以外の何らかの理由により生命保険契約が結局不成立となった事実　判例は、かかる事実は重要事実ではないとする【27】。

【27】「他ノ保険会社トノ保険契約カ不成立トナルモ其会社ヨリ保険ヲ拒絶セラレタルニ由ラサルトキハ商法第四百二十九条ニ所謂重要ナル事実ニ該当スルモノト云フル得サルヲ以テ……」（大判大八・二・三民録二五・五三。なお、本件原判決も同趣旨を説いた――東京控判大七・一〇・二二評論七商六七〇）。

(e) 他の保険会社に生命保険契約の申込をした事実

(f) 他の保険会社に生命保険契約の申込をして診査を受けた事実

(g) 他の保険会社との間で生命保険契約を締結している事実

これらの事実は、重要事実であるか。この問題については、判例は必ずしも一致していない。大審院の判決を年代順に検討することとしよう。

まず、明治四〇年四月一六日の判決（民録一三・四四二）は、他の保険会社に生命保険契約の申込をなし医師の診査を受けたという事実は重要事実である、とした。

【28】「按スルニ生命保険業者ニ於テ被保険者カ前ニ他ノ同業者ニ申込ヲ為シテ拒絶セラレタルコトアルヲ発見セハ或ハ医師ヲシテ更ニ厳密ナル診査ヲ為サシメ或ハ契約ノ締結ヲ拒絶スル等ノ事アルヘキヲ以テ被

保険者カ前ニ生命保険業者ニ申込ヲ為シ医師ノ診査ヲ受ケタルヤ否ヤノ事実ハ保険契約ヲ締結スルヤ否ヤノ決意ニ影響ヲ及ホスヘキモノニシテ保険契約ヲ締結スルヤ否ヤノ決意ニ影響ヲ及ホスヘキ事実ハ之ヲ商法第四百二十九条ニ所謂重要ナル事実ナリト云ハサルヘカラス然ルニ原判決ハ被上告人カ本件保険契約申込ノ当時上告人ニ対シ被保険者カ其以前明治生命保険株式会社ヘ生命保険契約申込ヲ為シ同会社診査医ノ診査ヲ受ケタル事実ヲ告知セサリシコトヲ認定シタルニ拘ハラス之ヲ重要ナル事実ヲ告ケサリシモノニ非スト為セルハ前示法条ノ解釈ヲ誤リタルモノナリ」(大判明四〇・四・一六民録一三・四四二)。

「被保険者が前に生命保険業者に申込をなし、医師の診査を受けたるや否やの事実は、重要事実である」としている点に注意すべきである。判決録の編者は、この部分を本判決の判決要旨としてかかげている。

ところで、他の保険会社に申込をして診査を受けた結果としては、拒絶される場合もあろうし、承諾により保険契約が成立するに至る場合もあるであろう。この判決の判決要旨とされている文章は、申込及び診査の事実が重要事実であると言い、拒絶の場合だけが重要事実となるとは言っていない。してみれば、この判決要旨とされている文章によれば、契約成立の事実も、いやしくも申込及び診査をその前提として含んでいる限り、重要事実であることとなる。生命保険契約が成立するについては申込及び診査があるのが通常であるから、この判決要旨によれば他の会社との間に生命保険契約が成立した事実は、原則として重要事実であることとなる。

しかるに、この判決が出た僅か六ヵ月後である明治四〇年一〇月四日の大審院判決(民録一三・九三九)は、他会社へ申込をした事実及び他会社へ申込をして契約が成立した事実は重要事実であると主張した上告理由を拒けて、他会社の拒絶は重要事実であるけれども、他会社への申込の事実又は他会社へ申込をして承諾があつた事実は重要事実ではない、としてつぎのように判示した。

【29】「生命保険契約ノ拒絶ハ常ニ必スシモ危険測定ノミニ関スルモノニ非スシテ上告人所論ノ如ク保険者ニ於テ保険契約者カ保険料ヲ支払フヘキ資力ナキモノト考量シタル如キ場合ニモ拒絶スルコトアルヘシト雖モ保険契約ノ拒絶ハ被保険者ノ生命ニ関スル危険ヲ測定シ不利益ト認メタル場合ニ存スルコト普通ナレハ契約ノ申込ヲ受ケタル際他会社ニ於テ契約ノ拒絶ヲ為シタルコトノ知レタルトキハ危険多キモノト推定シ医師ヲシテ厳密ナル診査ヲ為サシメ或ハ契約ノ締結ヲ拒絶スルコトアル可クシテ契約ノ申込ヲ受ケタル際此ノ如キ事実ヲ知ルヘキ必要アルカ故ニ原院カ保険契約申込ノ拒絶ハ商法第四百二十九条ニ所謂重要ナル事実ト解釈シタルハ相当ナリ又他会社ニ保険契約ノ申込ヲ為シタル場合又ハ同一契約ノ申込ヲ為シテ承諾アリタル場合ハ前ノ場合ト異ナリテ被保険者ノ生命ニ付キ危険測定ニ関係ヲ有セサルカ故ニ同条ノ重要ナル事実中ニ包含セサルモノト解釈シタルモ亦相当ニシテ……」(大判明四〇・一〇・四民録一三・九三九)。

本判決は、他会社への申込の事実及び他会社へ申込をして承諾があつた事実はいずれも重要事実ではない、としている。このうち、他会社への申込の事実の重要性の問題は、前の判決(民録一三・四四二)ではふれられていないことであつて、これはこれでよい。しかし、この判決が他会社へ申込をして承諾があつた事実は重要事実でないとしている点は、一見前の判決と矛盾する。前の判決の要旨によれば、申込及び診査の事実が重要事実である。申込及び承諾の事実は、原則として申込及び診査の事実を含んでいる。それ故、前の判決によれば申込及び承諾の事実は重要事実たらざるをえない、ということであつた。一見したところ、大審院はその見解を改めたと見るべきであるかのようである。

しかしいま少し仔細に検討すると、前の判決を右に述べたような意味に読むのは、実は誤りではないかと思う。前の判決の事案は必ずしも明らかでないが、その原判決（名古屋控判明三九・一二・一三）は、被保険者が他の保険会社に申込をして拒絶せられたことを保険者に告げなかったという事実を認定し、しかしこれは重要事実を告知しなかったことにはならない、と判示したもようである。上告理由はこの点を攻撃し、他会社に申込をして拒絶せられた事実は重要事実であることを主張している。そして大審院はこの上告を容れたのである。してみれば大審院は、その判決理由中、判決録の編者によって判決要旨として抜き出された部分においては、たまたま申込・診査の事実が重要事実であるという広い表現を使っているけれども、大審院が主として念頭においていたのは申込・拒絶の事実であったと考えなければならない。本件の事案の具体的解決にとって意味があったのも、申込及び拒絶が重要事実であるということだけであったと考えられる。のみならず、判決理由が申込・診査の事実が重要事実であることの理由を説明しているところを見ても、他会社での拒絶は被保険者の生命の危険が大きいことを示すものだ、ということが説かれている。他会社での承諾という事実は直ちに被保険者の生命の危険が大きいことを示すものではない。このような理由により、前の判決もやはり申込・拒絶の事実が重要事実であることを述べているに止まると見るのが適当であると思う。してみれば、以上二つの大審院判決の間には実は矛盾はない。矛盾があるように見えたのは、前の判決を判決要旨だけで判断した早計にもとづく。そして以上の二判決によれば、申込・拒絶の事実は重要事実であるが、申込の事実、申込及び診査の事実、並びに申込及び契約成立の事実は、いずれも重要事実でないといえる。

つぎにかかげる明治四〇年一〇月一四日の大審院判決は、これと同様の趣旨を説く。

【30】「商法第四百二十九条ハ被保険者ノ生命ニ付キ危険ノ測定ニ関スル重要ナル事実又ハ事項ノ告知義務ヲ保険契約者ニ負ハシメタルモノト解釈スル以上ハ他ノ会社ニ生命保険契約ノ申込ヲ為シタル事実又ハ他ノ会社ト同一契約ヲ締結シタル事実ノ如キハ危険測定ニ関係ヲ有セサルカ故ニ之ヲ告知スルノ義務ナキモノニシテ原院ハ其趣旨ヲ示説シタレハ尚ホ此上詳細ナル説明ヲ為スコトヲ要セサルモノニシテ原判決ハ所論ノ如キ違法アルコトナシ」（大判明治四〇・一〇・一四新聞四六〇・一三）。

このようにして大審院の見解は、他会社への申込の事実及び他会社へ申込をして承諾があった事実は、いずれも重要事実ではない、とすることに固まるかに見えた。しかるに大正六年一二月五日大審院判決はこの見解をはなれ、さきの明治四〇年四月一六日判決（民録一三・四四二【28】）を引用して、他会社に申込をして診査を受けた事実は重要事実であると述べ、他会社との契約締結の事実が重要事実であるとした。この判決理由はつぎのように説いている。

【31】「按スルニ保険者ニ於テ被保険者カ以前ニ他ノ保険者ヨリ保険契約ノ締結ヲ拒絶セラレ又ハ保険契約ヲ解除セラレタルコトヲ知リタルトキハ或ハ保険契約ノ締結ヲ拒絶スルカ或ハ同一条件ヲ以テ契約ヲ締結セサルヲ通常トス故ニ被保険者カ嘗テ他ノ保険者ニ保険ノ申込ヲ為シ医師ノ診査ヲ受ケタルヤ否ヤハ保険者カ保険契約ヲ締結スル際知ラサルヘカラサル事項ニシテ商法第四百二十九条ニ所謂重要ナル事実ニ該当スル事ハ本院ノ判例トスル所ナリ（明治三十九年（オ）第六百六十七号明治四十年四月十六日判決参照）又保険契約ノ解除カ商法第四百二十九条ニ所謂重要ナル事実ニ関スル不告知又ハ不実ノ告知ヲ理由トスル保険者ノ単独ノ意思表示ニ因リタルトキハ此事実ハ後ノ保険者ノ保険契約締結ニ関スル決意ニ影響ヲ及ホスコト疑ナキモ仮令保険契約カ前保険者ノ解除申込ニ対スル保険契約者ノ承諾ニ因リ解除セラレタル場合ニ在リテモ其解

除申込ヲ為シタル原因カ実際生命ニ危険ヲ及ホス疾病等重要ナル事実ニ関スル不告知又ハ不実ノ告知アリタルカ為メナルコトナキニアラス而シテ保険者ハ解除申込ノ際之ヲ理由トセス保険契約者モ之ヲ認メスシテ解除ヲ承諾スルコトナキニアラサルヲ以テ保険契約ノ解除セラレタル事実ハ其単独行為ニ因リタルトキハ勿論合意ニ因リタルトキト雖モ前示ノ如ク保険者ノ解除ニ基キタルトキハ後ノ保険者ニ於テ保険契約締結ノ際知ラサルヘカラサルモノニ属シ亦前示ノ嘗テ保険ノ申込ヲ為シ医師ノ診査ヲ受ケタル事実ト等シク商法第四百二十九条ニ所謂重要ナル事実ニ該当スルモノト謂ハサルコトヲ得ス然ルニ原院カ『本件保険契約申込以前ニ他会社タル高砂及ヒ千代田ノ両保険会社ト保険契約ヲ締結シタルコト千代田トハ其後合意解約（其解約原因カ栄作――保険契約者兼被保険者――ノ疾病ニアル事ハ栄作ノ知ラサル所ナリ）シタルコトノ如キ事実ハ生命ノ危険ヲ測定スルカ為メ重要ナル事実ト云フ能ハス』ト説明シ以前ニ他ノ保険会社ニ保険ノ申込ヲ為シ保険契約ヲ締結シタル事実竝ニ保険契約ノ合意解除アリタル事実ヲ以テ商法第四百二十九条ニ所謂重要ナル事実ニ非スト判示シタルハ同条ノ解釈ヲ誤リタルモノニシテ上告論旨ハ其理由アリ原判決ノ全部ハ破毀ヲ免レサルヲ以テ……」（大判大六・一二・一五民録二三・二〇五一。判批、竹田・京法一三・八三六）。

もつともこの判決では、右に見られるとおり、他会社との生命保険契約が解除となつた事実の不告知もあわせ問題となつており、大審院はこの事実も重要事実であるとしている。従つて、申込・承諾が重要事実であるということだけでこの事件が決つてしまつたのではない。この点は注意しておく必要があると思われる（なお、本判決は、先例として明治四〇年四月一六日の判決（民録一三・四四二）を引用しているが、これは事案を異にし、本件には適切でないと思う。明治四〇年四月一六日の判決では、具体的には他会社への申込・拒絶の事実の不告知が問題となつており、それに対し本件では申込・承諾の事実が問題となつているからである）。

ところが、その後昭和二年一一月二日の大審院判決（民集六・五九三）は、またも態度をひるがえし、他会社との契約締結の事実は重要事実ではない、とした。さきの大正六年一二月五日の判決（民録二三・二〇五一）の立場を去り、またもとの見解（大判明四〇・一〇・四民録一三・九三九、同明四〇・一〇・一四新聞四六〇・一三の見解）に立ち帰ったわけである。

案件の被保険者は、本件明治生命との保険契約締結の当時、すでに他の保険会社と十数個の生命保険契約を締結していた。しかるに、この事実が正確に告知せられなかった。被保険者が死亡して保険金受取人が保険金の支払を求めたのに対し、保険会社は、従前の他社との契約締結の事実は重要事実であり、従って被保険者に告知義務違反があるから、これに基づき契約を解除した、と主張する。原審東京控訴院は、他会社との契約成立の事実は重要事実でない、として保険会社側を敗かしたもようである。保険会社側は次のように述べて上告した。

「上告論旨第二点原判決ハ重要事項ノ意義ヲ誤解シタル違法アリ原判決ハ其ノ理由中『被保険者安太郎カ控訴会社以外ノ保険会社トノ間ニ十数箇ノ生命保険契約ヲ締結シタルニ不拘本件保険契約締結ノ際僅カニ千代田生命保険株式会社ト二口ノ契約ヲ締結シ居ルニ過キサルカ如ク虚偽ノ告知ヲ為シタルハ告知義務違反ナル旨抗争スレトモ商法第四百二十九条ニ所謂重要ナル事実又ハ事項トハ被保険者ノ生命ニ関シ危険ヲ測定スルカ為ニ必要ナル事実又ハ事項ニシテ保険者カ之ニヨリ契約ヲ締結スルヤ否又ハ約旨ノ条件ニテ契約ヲ締結スルヤ否ヲ決定スルニ影響ヲ及ホスヘキ事項ヲ指示スルモノト解スルヲ妥当トスヘク従テ単ニ他ノ保険者ニ保険ノ申込ヲ為シ身体ノ診査ヲ受ケタルヤ否ノ事実ノ如キハ所謂重要ナル事項ニアラスシテ其ノ診査ニ基キ保険者ヨリ契約ヲ拒絶セラレ又ハ契約ヲ解除セラレタル場合ニ於テ其ノ原因カ事実上生命ニ危険ヲ及ホスヘキ疾病等重要ナル事実ニ関スル不告知又ハ不実ノ告知アリタルニ基ク場合ヲ指称スルモノト解スヘク云々』ト説示セラレタリ然レトモ凡ソ被保険者カ保険契約締結ニ際シ其ノ以前ニ他会社ニ契約ノ申込ヲ為シ之ヲ拒絶セラレタル場合ノ如キハ元ヨリ重要事項ニ属スルコト論ナキトコロナリト雖モ申込ヲ為シ契約ヲ締結シタル場合ト雖モ同シク告知スヘキ重要性ヲ有スル場合ナシトセス蓋契約ヲ締結シタル場合ニ於テモ一回ノ申込ノミニヨリテ成立スルコト

モアルヘク亦身体ノ故障ニヨリ再診ニ附セラレタル結果漸ク年増又ハ保険料割増等ノ条件付ニヨリ成立スルコトモアルヘク或ハ亦本件ノ如ク契約者ト被保険者ト同一ナルカ如キ場合ニ於テハ契約者ノ資産状態ト保険契約ノ口数金額トカ甚タシク不相当ナルコトヲ感スル場合モ之アルヘシカカル場合ニ於テ後ニ申込ヲ受ケタル保険者ハ被保険者ノ健康上若クハ申込ノ動機ニ付何ラカノ重要性ヲ有スル事項ノアルヘキヲ直感シテ診査又ハ調査ヲ丁重ニ行フコトヲ得ルカ故ニ只一概ニ外観上契約ノ成立セルノミヲ以テシテハ被保険者ノ生命ノ危険測定上重要事項ニ非スト断スヘカラス然ルニ原判決ハ契約成立セル場合ハ告知スルノ義務アル重要事項ニ非スト説示セラレタルハ明ニ重要事項ノ意義ヲ誤解シタル不法アルモノト信ス」

大審院は、申込をして契約が成立したという事実は重要事実でないとする見地から、つぎのような理由で上告を棄却した。

【32】「他ノ保険会社ニ保険ノ申込ヲ為シ之ニ対スル承諾アリテ保険契約成立セル事実ノ如キハ保険契約申込ノ拒絶ト異リ被保険者ノ生命ニ付危険測定ニ関係ヲ有セサルモノナルカ故ニ商法第四百二十九条ニ所謂重要ナル事実ニ該当セサルモノト解スヘキナリ（明治四十年(オ)第百五十二号明治四十年十月四日判決）之ト異ナル見地ニ立チテ原判決ヲ攻撃スル本論旨採ルニ足ラス」(大判昭二・一一・二民集六・五九三)。

大審院は、さきの大正六年一二月五日の判決(民録二三・二〇五一)では、明治四〇年四月一六日の判決(民録一三・四四二)を引用して、申込・承諾の事実は重要事実であるといった。今度は明治四〇年一〇月四日の判決(民録一三・九三九)を引用して、申込・承諾の事実は重要事実でないという。従って、他会社へ申込をして承諾があったという事実が重要事実であるかどうかの問題について、大審院は、これを肯定する判例と否定する判例との双方をもっているわけである。しかし、あえてその優劣を論ずるとすれば、この最後の判決で説かれているところの、他会社へ申込をして承諾があった事実は重要事実ではないという見解、これが大審院判例の主流であると解すべきではないかと思う。けだしこの見解は、判例上多数の見解であるのみならず、より実質的に見ても、他会社へ申込をして承諾があった事実は直ちに被保険者の生命に関する危険の大きいことを示すものではなく、せいぜい保険事故故意招致の危険があること、又はその他保険により不労の利得を得ようとする不純の動機があること等、いわゆる道徳的危険の存在を示しうるにすぎない。そして判例は、他の道徳的危険の存在を示すに止まる事実又は事項（例えば保険契約者の資力、被保険者の身分）は重要事項でないとしている。このことからすれば、他会社へ申込をして承諾があった事実も重要事実でないとする方が首尾一貫すると考えられる。

以上要するに、他会社へ申込をした事実、申込をして診査を受けた事実、および、申込をして契約が成立するに至った事実は、いずれも重要事実でないとするのが判例の態度であると見るべきであろう。

(二)　重要性の判断の基準　　ある事実が重要であるか否かは、保険の技術に照し客観的に観察してこれを決すべく、保険者又は保険契約者若しくは被保険者の主観的判断によるべきではない。従って、保険者が重要事実であると考えても、客観的に重要でないものは重要事実でない【33】。また、保険契約者又は被保険者が重要事実ではないと考えたものでも、客観的にみて重要なものは重要事実である【34】【35】【36】。

【33】　前出の、保険契約者（兼被保険者）の職業は本当は小学校の教員であるのにこれを貿易商といつわ

つて保険契約を締結した事件である。保険会社側は上告理由の一つとして、つぎのように述べている。

「商法第四百二十九条ニ所謂事項ノ重要ナルト否トハマス当事者ノ意思ニ依テ定メサルヘカラス保険契約ノ当事者カ視テ以テ重要ナリトシタル事項ハ法律モ亦重要視スヘキコト契約ニ普通ナル原理ナリ而シテ保険申込書ニ記載セル事項ハ皆当事者カ重要ト見做スモノナルコト勿論ナリ裁判所ハ特別ノ証拠ニ依リ或ル事項カ重要視セラレサリシト認定シ其他悪意故意ノ存否ヲ審究スヘキノミ然ルニ原院ハ事項ノ重要不重要ヲ決スルニ当事者ノ意思ニハ更ニ頓着セス偏ニ事項ノ性質ニヨリ概括ニ論定セラレタリ尋常一様ノ契約ニサヘ重要視セラルル当事者ノ意思ハ最モ相互ノ信用誠実ヲ要スヘキ保険契約ニハ反テ毫モ顧ムヘキモノニ非ス絶テ効力ナシトノ断定ナルカ故ニソノ不当ナルハ論ヲ俟タサルナリ」

大審院は、これに答えて、つぎのように説いている。

「商法第四百二十九条ニ所謂重要ナル事実又ハ事項トハ生命保険契約ノ性質上危険測定ノ為メ重要ナルモノヲ指スモノニシテ契約当事者ノ意思如何ハ問フ所ニ非ス故ニ同条ノ所謂重要ナル事実又ハ事項ナラサルトモ当事者カ重要視シタルトキハ其事実事項ニツキ誠実ノ告知ヲ為ササル場合ニハ契約ヲ無効トナスヘキ特約ヲナセハ足ルヘシ依ツテ同一ノ趣旨ニ基キタル原判決ハ相当ニシテ本論旨ハ採用スルヲ得ス」(大判明四〇・一〇・四民録一三・九三九)。

【34】　被保険者は保険契約締結の約三ケ月前に脳溢血にかかつたことがある。ところが保険契約締結の際これが保険者に告知せられなかつた。保険金受取人側は、この脳溢血は極めて軽微なもので被保険者自身としては殆どこれを念頭においていなかつたという。大審院は、ある事実が重要事実であるか否かは客観的に決すべきであつて、本件のような場合は重要事実を告知しなつたことになるとする。

「商法第四百二十九条ニ所謂重要ナル事実トハ生命ノ危険ヲ測定スルニ付キ重要ナル事実ニシテ客観的ニ観察シ保険者カ保険契約ヲナスヘキヤ否ヤ若シ保険契約ヲナストセハ保険金額保険料等保険契約ノ内容ヲ如何ニ定ムヘキヤノ決意ヲナスニ因果関係ヲ有スルモノト認メラレルモノヲイフ或ル事実カ果シテ斯ル重要ノ

事実ニ属スルヤ否ヤハ固ヨリ箇々ノ場合ノ事情ニ応シ夫々測定セラルヘキモノナリトハ雖モ事実ノ性質上吾人ノ経験上ノ法則ニ従ヒ常ニ重要ノ事実ニ属スト認メサルヘカラサルモノアリ結核病脳溢血病ノ如キハソノ軽重如何ヲ問ハスコノ部類ニ属スルモノナリカカル疾病ハ軽微ノモノト雖モ四囲ノ事情ノ影響ヲ受クルコト甚大ニシテ些少ノ境遇ノ変化モ忽チ病ヲ重態ナラシムルコトアルハ吾人ノ日常見聞スルトコロナレハナリ本件ニ於テ保険契約者カツ被保険人ナル水野仙三郎ハ大正二年八月上旬脳溢血病ニ罹リタル事実アルニ拘ハラス同年十一月二十二日本件保険契約締結ノ際之ヲ上告会社ニ告知セサリシコトハ原裁判所ノ確定シタル事実ナレハ仙三郎ハ保険契約ノ当時重要ナル事実ヲ告知サリシモノナルヲモツテ……」（大判大四・六・二六民録二一・一〇四四。判批、松本・法協三四・一二五＝私法論文集二巻六七五頁）。

【35】　被保険者は保険契約締結の約三ケ月前より食道癌にかかつていたものと認められるが、被保険者自身は食道癌であることを知らず、単なる胃病であると考えて重要視せず、これを保険者に告知しなかつた。大審院は、重要な事実を告知しなかつたことになるとした。

「商法第四百二十九条第一項ニ所謂重要ナル事実トハ危険ノ測定ニ影響ヲ及ホスヘキ事実ニシテ其然ルヤ否ヤハ之ヲ客観的ニ決定スヘク保険契約者又ハ被保険者ノ主観的判断ニヨリテ定マルヘキモノニ非サルハ論ヲ竢タス」（大判大六・一〇・二六民録二三・一六一二。判批、竹田・京法一三・六八二）。

【36】　被保険者は保険契約締結の四ケ月前頃より悪性の子宮筋腫又は悪性腫瘍にかかつていたものと認められるが、被保険者自身は当時医師より病名を子宮内膜炎兼実質炎と告げられ、しかも契約締結の二ケ月前には医師より全治した旨を告げられた。被保険者はこれを重要事実と考えず、ために保険契約締結の際これを保険者に告知しなかつた。しかし大審院は、これも重要な事実を告知しなかつたことになるとした。

「商法第四百二十九条ニ於テ 保険契約者又ハ被保険者ノ告知スヘキ事実カ重要ナリヤ否ヤハ 客観的観察ニヨリ決定スヘキモノニシテ是等ノモノノ主観的判断ニヨルヘキモノニ非ス」（大判昭九・一〇・五新聞三七五七・一四）。

(四)　質問表の効力　今日の生命保険契約締結の実際においては、保険者が保険申込書に告知欄というような欄を設けるか、或いは別に告知書という書面を作成し、これに告知義務の対象となるべき重要な事項を質問的に列記し、申込者をしてこれに対する解答を記入せしめる、という方法によって告知をさせるのが通常である。これを質問表という。質問表を利用することにより保険者は危険測定の資料として自己が知ることを欲する事項が何であるかを知らせて、告知義務者の告知を促し、必要な資料の入手に遺漏なきを期することができる。また告知義務者としては、告知すべき事実を知る手がかりを与えられ、告知義務の履行が容易になる。もっともわが商法上は、告知義務は保険者の質問に答える義務ではなく、告知義務者の方から自発的に告知する義務ということになっており、告知義務者としては、保険者の質問をまたず進んで告知することを要するものであることに注意しなければならない。かような質問表について、これが――特に事実事項の重要性の有無の点に関して――いかなる法的効力を有するかが問題となる。

(1)　近時の学説には、保険者が質問表によって告知を求めた事項は重要事項と推定される、というような効力を質問表について認めているものが少なくない（大森・保険法一二四頁、大森＝操野＝田辺・生命保険実務講座四巻六三頁、青谷・生命保険経営一一巻二五六頁、田中耕・保険法講義要領昭和九年度九一頁等）。理論上は、質問表に右のような効力を認めるのが適当であろう。しかし、判例では、かような効力は認められていないというほかかない。

この関係において検討を要する判決として、大正一五年九月二七日の大審院判決（新聞二六三九・九）がある。被保険者の叔父及び従兄弟の死因の不告知が問題となった事件である。原審において保険者は、かかる事実も重要事項として告知を求めたと主張し、証拠として保険契約申込書を提出した。しかし原審は、この証拠についてその採否を判断することなく、かかる事実を重要事実とした証拠はないとして保険会社を敗訴せしめたもようである。保険会社側が上告したのに対し、大審院は、重要な証拠の判断を遺脱した不法あるものとして、つぎのような理由で原判決を破毀した（上告人は共済生命、被上告人は佐藤大輔）。

【37】「仍テ按スルニ原院ハ上告会社ニ於テ本件保険契約締結当時保険契約者佐藤三左衛門及被保険者佐藤俊郎ニ対シ被保険者ノ血族ニ肺結核其ノ他遺伝性ノ疾病ノ有無ニ付発問シタル処伯叔父母従兄弟ニ至ル迄叙上ノ如キ疾病ニ罹リタル者ナキ旨ヲ告知シタルモ叔父佐藤文治及従兄弟佐藤吉郎カ孰レモ結核症ニテ死亡シタル事実アルニヨリ保険契約者及被保険者ハ所謂告知義務ニ違背シタリトノ上告会社ノ抗弁ニ対シ被保険者俊郎ノ前記叔父及従兄弟ハ孰レモ上告会社抗弁ノ如キ病症ニテ死亡シタル事実ヲ認メナカラ右叔父従兄弟ノ既往症ノ如キハ特ニ本件保険契約ニ付重要事項ト為シタル証左ナキヲ以テ当然重要事項ト謂フヲ得サルニヨリ縦令保険契約者及被保険者ニ於テ之ヲ告知セサリシモノトスルモ告知義務ニ違背シタルモノト論断スルヲ得ストシテ右抗弁ヲ排斥シタリ然レトモ上告会社ハ原院ニ於テ特ニ前示伯叔父母従兄弟ノ病症ノ有無ノ如キモ被保険者俊郎ノ生命ノ危険ヲ測定スルニ付重要ナル事項ナリトシ保険契約者及被保険者ニ告知ヲ求メタリト主張シ丙第三号証（保険契約申込書）ヲ提出シタルコトハ記録ニ徴シテ洵ニ明ニシテ同号証ニヨレハ上告会社主張ノ如キ記載アルニヨリ原院ハ須ク該証拠ニ付之カ採否ヲ判断セサルヘカラス然ルニ事玆ニ出ス漫然前示ノ如ク重要ナル事項ト為シタル証左ナシトシテ輙ク上告会社ノ抗弁ヲ排斥シ敗訴ノ判決ヲ為シタルハ重要ナル証拠ノ判断ヲ遺脱シタル不法アルモノト謂ハサルヘカラス……」（大判大一五・九・二七新聞二六三九・九）。

わざわざ原判決を破毀したところをみると、大審院は、質問表に何らかの法的効力を認めようとするかのようでもある。しかしながら、質問表で告知を求めたことの証明があれば、直ちにその事項を重要事項と認定しうるのかどうか。この点については、大審院は何も明言するところがない。大審院は一体質問表に具体的にいかなる効力を認めようとするのか、一向に明らかでないと言うほかない。それ故、この判決があるの一事をもつて、判例上質問表に近時の学説がいうような重要性の推定力が認められていると考えるのは、早計であると考える。

これに対し、明治四〇年一〇月四日の大審院判決（民録一三・九三九【33】）では、なかんずく「保険申込書に記載せる事項は皆当事者が重要と見做すものなること勿論なり」ということを理由とする保険会社の上告を拒けている。この主張に対しては、大審院は一顧だに与えなかつた。前出の、小学校の教員が保険契約締結の際その職業を貿易商といつわつて告知した事件である。

質問表に記載した事項は重要事項と推定される、という法則の存在を正面から認めた判例はないていないというほかないと思う。

以上述べたところにより、私は、学説がいうような質問表の重要性の推定力は、判例では認められていないというほかないと思う。

（ただし、東京控判昭一二・四・九新聞四一七六・九【90】参照）。

従つて、判例によれば、保険者がある事項が重要事項であることを立証するについては、質問表でその事項の告知を求めたことを証明するだけでは足りない。実質的に重要事項であることを証明することが必要である。重要性の挙証責任が保険者にあるのはいうまでもない。なお、事項の重要性は客観的に定まるのであつて、保険者が質問表で告知を求めた事項が全部重要事項と擬制されるのではないことは勿論である。質問表で告知を求めた事項の中にも重要事項でないものがあり【38】、反対に、質問表で告知を求めていない事項の中にも重要事項が存在しうる。

【38】「控訴代理人ハ肺ノ軽度ノ故障モ亦告知スヘキ事実ニ属ス殊ニ控訴人ハ契約締結ノ際保険契約者及ヒ被保険者ニ対シ最近三年内ニ医療ヲ受ケタルトキハ病ノ軽重ヲ問ハス詳細ヲ告知スヘキコトヲ求メタレハナリト抗弁スレトモ肺ニ軽度ノ故障アリシ事実ノミニテハ未タ生命ノ危険ヲ測定スヘキ重要ナル事実ナリト謂フヘカラス而シテ縦令控訴人ニ於テ病ノ軽重ヲ問ハス告知スヘキコトヲ求メタリトスルモ危険ヲ測定スルニ付キ重要ナラサル事実ハ保険契約者及ヒ被保険者ニ於テ之ヲ告知スルノ義務ナキヲ以ツテ之ヲ告知セサリシトテ控訴人ニ契約解除ノ権ヲ生スルコトナキ者トス」（東京控判大三・五・二一新聞九六二・二四）。

(2)　学説ではさらに、保険者が質問表で告知を求めていない事項は重要事項でないと推定される、という効力を、質問表に認めているものが少なくない。しかし、判例ではかような効力も認められていないというべきであろう。

大正一三年四月一八日の大審院判決（民集三・一三二）【39】は、従来、質問表にかような推定力を認めたものとして引用されることがある（大森・保険法一二六頁註六、大森＝操野＝田辺・前掲六三頁）。なるほどこの判決は、その判決理由中において、質問表に言及している。しかしそこに見られるのは、多数の保険業者の使用する質問表を綜合的に観察して、およそ保険業者はいかなる事項について告知を求めているのが通常であるかというような点を考え、これを事実・事項の重要性の有無の判断の一資料にするという態度であって（松本・私法論文集二巻二一九頁＝同・商法解釈の諸問題三七六頁以下参照）、案件の保険会社が当該の保険契約について使用した質問表を見て、問題の事実はこの質問表で質問されていないから重要事項ではないと認める、というようなことを述べているのではない。それ故私は、本判決をもつて質問表に記載されていない事項は重要事項でないと推定される、という法則を認めたものとみることはできないのではないかと考える。

【39】　被保険者の叔父及び従兄弟が、保険契約締結前に、いずれも結核性疾患によって死亡している。保険契約締結の際これらの事実が保険者に告知せられなかった。これが重要事実を告知しなかったことになるか否かが問題である（上告人は佐藤大輔、被上告人は東洋生命）。原審（東京控判大一二・四・一六評論一二商一七二）は、これらの事実を重要事実とし、告知義務違反の成立を認め、保険金受取人側を敗かした。保険受取人側が上告した。上告理由は、被保険者の他の血族が一般に健康であることを述べ、また叔父及び従兄弟と被保険者では相互に相当はなれているから、その死因のごときは重要事実ではないと主張した（上告理由は、質問表で告知を求めたことの有無又はその効力については、何らふれるところがない）。これに対し大審院は、被保険者の叔父従兄弟の死因は当然に重要事実であるとはいえないから、原判決のようにこれを重要事実と認めるについてはその理由を示さなければならぬ筈だが、原判決はこれを示していないから理由不備の不法があるとし、上告を容れて破棄差戻の判決をした。

「商法第四百二十九条ニ依リ保険契約者又ハ被保険者カ保険者ニ対シ告知スヘキ事実ハ被保険者ノ生命ノ危険ヲ測定スル資料タル重要事実ニ限ルモノトス而シテ其ノ重要ナルヤ否ヤハ客観的ニ之ヲ判定スヘキモノニシテ現ニ生命保険業者カ被保険者ノ祖父母、兄弟姉妹ノ健否、死亡原因等ニ付テハ保険申込書又ハ医師ノ診査報状ニ於テ告知ヲ求メ被保険者ノ伯叔父母、従兄弟姉妹ノ健否死亡原因等ニ付テハ告知ヲ求メサルヲ通例トスルニヨリテ之ヲ観レハ縦令此等ノ親族中結核性疾患ニ因リ死亡シタル者アリトスルモ之ヲ以テ当然告知ヲ要スル事実ナリト為スヲ得ス従テ斯ル事実ヲ重要ナルモノトスルニハ須ク之カ理由ヲ判示セサルヘカラス本件ニ付之ヲ観ルニ原判決カ本件保険契約解除ノ原因タル告知義務違背ト認メタル事項ハ被保険者佐藤俊郎ノ叔父及従兄弟カ結核性疾患ノ為死亡シタル事実ニ関スルコトハ原判決ノ判文上明ナリ然ルニ原判決ハ右事実ヲ漫然重要事項ナリト説示シ之カ理由ヲ示スコトナクシテ被上告会社ニ本件保険契約ノ解除権アルモノト判示シタルハ理由不備ノ不法アルモノニシテ原判決ハ破毀ヲ免レサルモノトス」（大判大一三・四・一八民集三・一三二。判批、田中耕・判例民事法大正一三年度二六事件）。

なお判例集では、本判決の判決要旨として、「被保険者ノ伯叔父母兄弟姉妹ノ健否及其ノ死亡原因ニ付テハ特ニ告知ヲ求メラレサル限保険契約者又ハ被保険者ニ於テ之ヲ陳述セサルモ告知義務ニ違背シタルモノト謂フコトヲ得ス」という文章が掲げられている。しかし、本判決がさようなことを述べているといつてよいかどうか、疑問であると思う。

(3)　また、学説では、保険者が質問表で告知を求めなかつた事項については、告知義務者に悪意の黙秘がある場合に限つて告知義務違反が成立する、というような効力を質問表に認めるものが少なくない（前掲諸学説のほか、田中誠・新版保険法一七五頁以下）。しかし判例上は、かような法則も認められていないというほかない。従つて、判例によれば、保険者が質問表で質問しなかつた事項に関する不告知又は不実告知にあつても、告知義務違反の成立のためには、一般原則通り、少なくとも告知義務者の重過失があれば足りる。もつとも、保険者が告知義務者に質問をしなかつた場合は、保険者に過失があるものとして、告知義務違反にもとづく解除権の発生が妨げられる、とするのが判例であるから（大判大一一・一〇・二五民集一・六一二）、判例上は、保険者が質問をしなかつた事項については告知義務がない、というのとほぼ同様の結果が認められていることに注意しなければならない（この点については、後に述べる）。

(4)　なお、質問表については、これが告知義務者の悪意・重過失の有無の判断に関してもつ意味なども問題となるが、これについても後に検討する。

（五）　告知義務者の知っている事実　　告知すべき事実は、告知義務者の知っている事実に限られるか。それとも告知義務者の知らない事実についても告知義務があるか。

この点に関する学説は分れている。告知義務者の知らない事実は、その不知が過失に基づくと否とを問わず告知義務の対象とならないと解する学説もある（野津・保険契約法一五九頁、大森・保険法一二四頁、田中誠・新版保険法一七三頁等・小町谷・海上保険法総論一巻二六八頁はこれが通説であるといわれる）。告知義務者の知らない事実についても告知義務があるものとすれば、告知義務者に調査義務ないし探知義務を負わせる結果となるが、これは告知義務制度の趣旨から考えて行きすぎである、ということを理由とする。他方これと反対に、告知義務者の知らない事実についても告知義務があると説く学説もある（三浦・告知義務論二四二頁、松本・保険法一〇八頁、同・私法論文集二巻二〇九頁以下特に二二三頁以下＝同・商法解釈の諸問題三七一頁以下特に三七九頁以下、小町谷・海上保険法総論一巻二六八頁、石井・商法(下)昭和二八年四〇頁等）。わが商法の告知義務に関する規定には告知義務者が知っている事実を告知すれば足りる旨を示すべき文字がないこと、また僅かの注意によって告知すべき事項を知りうる限り告知義務者に調査義務を負担せしめるのは必ずしも失当でないこと等を理由とする。理論としては、前説が正当であろう。

判例の態度は、必ずしも明らかでない。告知すべき事項は告知義務者の知っている事項に限る、ということを明言している判決は見当らない。しかし、告知義務者の知らない事実について告知義務違反の成立を認めた判決はないように思われる。判例中には「告知義務者が問題の事実を知らなかったとすれば重大な過失がある」というような表現を使っているものがあり（例えば東京地判大五・二・一七新聞一一一六・二七＝評論五商二九四【62】、大判昭九・一〇・三〇新聞三七七一・九【61】）、これは告知義務者の知らない事実についても告知義務があるという理論を前提としているかのようにも見えるが、各判決の事案を検討してみると、かような表現は告知義務者がその事実を知っていたであろうという推定が強く働く場合について使われているのであって、むしろ告知義務者は問題の事実を知っていたという事実認定に余裕をもたせる意味で使われているといえる。告知義務者は問題の事実を知らなかったという事実を認定した上で、これを知らないについて告知義務者に重過失があるとして告知義務違反の成立を肯定した判決はない。また被保険者の既往症又は現症の不告知の場合において告知義務者がその病名を知らないときについては、多数の判例は、病名の不告知について告知義務違反の有無を定めるという態度はとらず、かえって被保険者が自覚した症状の不告知について告知義務違反の成否を判断するという態度を示している（前出【11】【16】参照）。これらのことから考えて、判例によれば告知義務者の知らない事実は告知義務の対象とならない、とみてよいのではないかと思う（なお、この問題について、中西「告知義務者の知らない事実と告知義務」生命保険文化研究所報八号参照）。

(六)　保険契約成立の時までに生じた事実　　告知しなければならないのは、保険契約成立の時までに生じた事実である。

(1)　従って、保険契約の申込の後、保険契約の成立の時までに生じた事実も、告知することを要する【40】。

【40】　「仮令鈴木ハナカ前記認定ノ病状ヲ知了シタルハ乙第二号証ノ一、二ニ依リ明カナルカ如ク本件保険契約申込後ニシテ被告会社ノ医師カ身体ノ診査ヲ為シタル以後ナリト雖モ右契約成立以前ナル以上ハ契約申込者ハ之ヲ被告会社ニ告知スル義務アルヤ勿論トス」（東京地判大五・六・九判例一巻民事六九八頁）。

(2)　保険契約成立後に生じた事実は、告知することを要しない【41】。

【41】「本件被保険者タル右鍛冶屋ソヨハ本件保険契約成立後ナル大正八年一二月二一日台湾総督府宜蘭医院ニテ初メテ腸結核症ト診断セラレ爾来同日以降同院ニ於テ入院治療中遂ニ右疾病ニ因リ大正九年三月一二日前叙ノ如ク死亡シタル事実及同人ハ右入院以前本件保険契約締結後頃ヨリ羸痩脱力ノ感アリ時々咳嗽ヲ催シ胸部下腹部ニ痛アリテ下痢曰嗽熱其他貧血不眠等ノ症状ヲ呈シ居リタル事実ヲ推知シ得ヘキモ未タ叙上ノ如キ症状カ控訴人主張ノ如ク本件保険契約締結前若シクハ其当時ニ於テ存在シタル事実ヲ確認スルニ由ナシ（中略）然ラハ本件保険契約者タル控訴人及被保険者タル前記鍛冶屋ソヨカ本件保険契約締結ニ際シ控訴人主張ノ如キ既往症若シクハ症状ヲ告知セサレハトテ何等本件特約及告知義務ニ違反シタルモノト謂フヲ得ス」（東京控判大一二・三・一〇新聞二一六七・一六）。

(3)　約款では、第一回保険料又は第一回保険料相当額払込の時までに生じた事実についても告知を要する旨を定めているものが多い。二・三の例を掲げよう。

明治三三年模範普通保険約款

第一三条　「左の場合に於ては保険契約は無効とす

一　保険契約人又は被保険人が保険申込の際重要なる事実を告げず又は重要なる事項に付き不実の事を告げたるとき

二　保険申込の後第一回保険料払込以前又は回復若くは復活請求の後其承諾以前に於て被保険人が疾病若くは外傷に罹りたるも之を会社に通知せざりしとき」（第三号は省略する）

明治四四年模範普通保険約款

第一二条　「保険契約の当時保険契約者又は 被保険者が悪意又は重大なる過失に因り 重要なる事実を告げず又は重要なる事項に付き不実の事を告げたるときは会社は契約の解除を為すことを得但第一回保険料払込の時より五年又は会社が解除の原因を知りたる時より一箇月を経過したるときは此限に在らず

保険申込の後第一回保険料払込前に被保険者の身体に異常を生じ其他重要なる事項に付き異動を生じた

るも之に関し会社の承諾を得ずして第一回保険料を払込みたるとき亦前項に同じ」

日本生命・利益配当付養生命保険（34普通）普通保険約款（昭和三四年四月一日制定）

第一六条　「保険契約者または被保険者が、保険契約申込の際、悪意または重大なる過失によつて、重要事実を告げなかつたか、または重要事項について不実のことを告げた場合には、会社は、将来に向つて保険契約を解除することができます。ただし、会社がその事実を知つていた場合または過失のため知らなかつた場合には、解除することはできません。

2　保険契約申込の後第一回保険料または第一回保険料相当額払込までの間に、被保険者の健康に著しい異常が起り、その他重要事項について異動を生じたにもかかわらず、保険契約者または被保険者が、これについて会社の承諾を得ないで第一回保険料または第一回保険料相当額を払込んだ場合にも、前項と同様に取り扱います。」（第三項ないし第七項は省略する）

第一回保険料相当額の払込が保険契約成立以前に行なわれるのであれば、右のような特約は、何ら商法の規定を変更するものではなく、注意的規定たる意味をもつに止まる。けだし、商法上告知義務の対象となるのは契約成立の時までに生じた事実であると解せられるからである。それに対し、第一回保険料の払込が保険契約成立の後に行なわれるのであれば、右のような特約は、その限りにおいて、告知すべき事実の時間的範囲を商法が定めているよりも広く定めたこととなる。従つて、これは告知義務に関する商法の規定を変更する特約の一つであるといえる。従来の判例の立場からすれば、かかる特約は有効とみるべきこととなるであろう。既述のとおり、大正一三年四月二三日の大審院判決（民集三・一九五）は、「申込書の提出ありたる後保険契約者が第一回保険料を払込むまでに被保険者の身体に異状を生ずるか又は被保険者が疾病にかかりたるときは、その軽重を問わず、保険会社に告知して更に申込書を提出し被保険者の身体検査を受くるにあらざれば保険契約は成立せず」という特約を有効と認めている（前出【7】）。

つぎに、近時のこの種の約款規定では、保険契約申込後第一回保険料払込前に生じた重要事実について告知を求めるものが多い。この期間内に生じた事実はことの軽重を問わずすべて告知することを要する、とするのではなく、そのうちの重要事実のみについて告知を求めるわけである。これに対し旧時の約款には、保険契約申込後第一回保険料払込以前に生じた事実はその軽重を問わずすべて告知すべきものとしたり、又はこれを特に重要事実に限る旨を明定しないものが見られる。かような約款規定について、告知すべき事実の範囲を重要事実に限定して解釈した判決がある【42】【43】。

【42】「控訴人ハ（中略）第二ニ右信助ハ保険金二千円ノ本件保険契約ノ申込ヲ為シタル後扁桃腺炎ニ罹リ扁桃腺ノ肥大ヲ来シ且ツ軽度ノ咳嗽及ヒ咽頭ノ疼痛ヲ訴ヘタル事実アルニ拘ハラス控訴会社ニ之レヲ告知シ其承諾ヲ受クルコトナクシテ明治四十五年六月一日第一回ノ保険料ノ払込ヲ為シタルヲ以テ右契約ハ控訴会社約款第十条第二号ニ依リ無効ナリト主張スト雖モ乙第三号証ニ依レハ該約款ニ所謂被保険者ノ身体若クハ精神ニ異状ヲ生シタルトハ被保険者ノ生命ニ関スル危険測定ニ重要ナル異状ヲ摘示セルコト同第十条第一号ノ趣旨ト比較シテ明白ナレハ扁桃腺炎ノ如キ軽微ナル身体上ノ異状ヲ包含セスト解スヘキヲ以テ仮リニ右約款カ有効ナル慣習ニ基クモノトスルモ之レニ依リ此点ニ関スル抗弁ヲ正当ナリト認メ難シ」（東京控判大四・五・二〇新聞一〇二三・二一＝評論四商一八三）。

【43】「乙第一号証ニ依レハ同人（保坂豊治）ハ保険契約申込書ヲ提出シタル後保険契約者カ第一回保険料

ヲ会社ニ払込ム迄ノ間ニ於テ被保険者ノ身体ニ異状ヲ生スルカ又ハ疾病ニ罹リタルトキハ其事ノ軽重ニ拘ラス更ニ申込書ヲ提出シ再ヒ被保険者ノ身体検査ヲ受クヘキ旨ノ特約条項ヲ承認シ以テ本件契約ノ申込ヲ為シタル事実ヲ認メ得ヘク本条項ニ於テ更ニ申込書ヲ提出シ再ヒ被保険者ノ身体検査ヲ受クヘキコトト定メタルハ畢竟其前半ニ記載セルカ如キ事由カ被保険者ニ発生シタル場合ハ保険契約者ヲシテ改メテ申込ヲ為サシメ以テ保険契約者又ハ被保険者ノ告知義務ヲ新ニスルコトニ因リ保険者ノ利益ヲ保護セントスルノ目的ニ出テタルモノナルコト毫モ疑ヲ容レサルカ故ニ保険契約者カ其事由ノ発生ヲ知ラサリシ場合ハ同条項ノ適用ナキモノト解スヘキモノナルト同時ニ其事由ノ発生ヲ知リタル場合ハ同条ニ依リ保険契約者ノ為シタル前申込ハ無効トナルモノト解スルヲ相当トス蓋シ其事由ノ発生ヲ知ラサル場合ニ於テモ改メテ申込ヲ為スヘキモノトスルカ如キ不可能事ヲ強ユル無意味ノコトタルヘク又改メテ申込ヲ為スヘキモノト為シタルハ其前提トシテ前申込ヲ無効トスルノ趣旨ナルコト極メテ明白ナレハナリ次キニ右条項前半記載ノ意味ハ其文面ヨリ見レハ苟モ被保険者ニシテ其身体ニ異常ヲ生シ又ハ疾病ニ罹リタル場合ハ其程度ノ如キハ固ヨリ其性質ノ如何ノ如キモ之ヲ問ハス凡テ改メテ申込ヲ為スヘキ者ナルカ如ク解セラルルモ同条項ノ目的ハ改メテ申込ヲ為サシムルコトニ因リ保険契約者又ハ被保険者ノ告知義務ヲ新ナラシメントスルニ在ルヲ以テ此目的ノ範囲ヲ逸脱シテ解スヘキニ非ス従テ右前半ニ所謂身体ノ異状又ハ疾病ノ如キモ生命ノ危険ヲ測定スルニ付必要ナラサルモノノ如キヲ指スニ非ルト同時ニ斯ル測定ニ必要ナルモノト雖モ保険契約者之ヲ知ラサリシトキハ其為シタル前申込カ無効トナルヘキ限リニアラサルハ前段述ヘタル所ニ依リテ明カナルヘシ然ルニ証人瀬尾原始ノ証言ニ依レハ前記保坂豊治ハ本件保険契約申込後大正九年四月二日同証人ノ診察投薬ヲ受ケタルコト及其病症ハ軽度ノ腎臓炎ナリトノコトヲ認メ得ルモ同証人ハ豊治ニ其病名ヲ告ケス豊治モ亦風邪位ニ思惟シテ之ヲ自覚シ居ラサルコトヲ認メ得ルヲ以テ前記特約条項ニ依リテハ右申込ヲ無効トシ従ツテ又本件保険契約ヲ無効ト為スコトヲ得ス」（東京地判大一三・一二・二七新聞二三六二・一六。なお、この判決は、申込後第一回保険料払込前に生じた重要事実について告知がないときは、前の申込が無効になるというようなことを述べているが、本件保険契約についての解釈としてはともかく、前にかかげたような今日の約款の下においてかかる解釈をとりえないことは、いうまでもない）。

なお、かかる特約がある保険契約において、保険者が第一回保険料の一部の支払を受けただけで保険契約上の責任の負担を開始したものと認め、保険者が責任負担を開始した以上は、その時以後に生じた事実については告知義務がない、とした判決がある。

【44】「㈠訴外高橋与三五郎ト被告会社トノ間ニ原告主張ノ如キ内容ノ保険契約成立シ被保険者高橋与三五郎カ大正五年七月三日死亡シタル事及ヒ被告会社カ同年八月二十五日右高橋与三五郎ノ家督相続人ナル訴外高橋隆ニ対シ商法第四百二十九条及ヒ被告会社保険約款第十二条ニ依リ本件保険契約スル旨ノ〔「本件保険契約ヲ解除スル旨ノ」の誤植であろう〕意思表示ヲ為シタルコトハ当事者間ニ争ナシ仍ツテ先ツ本件保険契約成立ノ時期ハ大正五年五月二十日ナリヤ同年六月二十日ナリヤノ争点ニ付キ按スルニ被告ハ本件保険契約申込取扱代理店ノ過誤ニヨリ保険期間十五年ノ割合ニヨル保険料ヲ大正五年五月二十日ニ徴収シタルモ被告会社ニ於テハ被保険者タルヘキ者ノ健康状態ニ鑑ミ保険期間ヲ十年トスル契約ニ非サレハ之ヲ承認スルコト能ハサリシヲ以テソノ割合ノ保険料ヲ徴収スヘキコトヲ同代理店ニ命シ同代理店ハ同年六月二十日之ヲ徴収シタルヲ以テ本件保険契約ハ同年六月二十日ニ成立シタルモノニシテ同年五月二十日ニ成立シタルモノニ非スト主張シ而シテ成立ニ争ナキ甲乙各第二号証及ヒ証人提捨吉ノ証言ニ依レハ大正五年五月十三日保険期間十五年ニ相当スル割合ノ保険料ヲ一旦被告代理店ニ於テ領収シ同代理店ヨリ同月二十日被告会社ノ右領収書ヲ交付シタルモ同日以後ニ於テ保険期間十年ニ相当スル割合ノ保険料ヲ追徴シタルモノナル事ヲ認メ得ルヲ以テ斯カル場合ニ於テ如何ナル時期ニ本件保険契約成立シタリト認ム可キヤト云フニ是レ一ニ当事者ノ意思如何ニヨリテ之ヲ判定スルヲ相当トシ而シテ真正ニ成立シタリト認ムル乙第四号証ニヨレハ被告会社ハ大正五年五月一日既ニ十年満期ノ本件契約ヲ締結スルノ意思アリシ事ヲ認メ得ヘク又成立ニ争ナキ甲第一号証ニ

ヨレハ被告ハ保険期間ノ始期ヲ大正五年五月二十日ト定メ同日付本件保険証券ヲ同日以後ニ於テ保険契約者ニ交付シ保険契約者ハ異議ナク之ヲ受領シタルコト明白ナレハ本件保険契約ノ当事者ハ同日該保険契約ヲ締結スルニ付キテノ意思ノ合致アリタルモノニシテ只其当時ニ於テハ保険期間十五年ニ相当スル割合ノ保険料ノミノ支払アリテ保険期間十年ニ相当スル割合ノ保険料未払ナリシヲ以テ被告会社ハ其後之ヲ追徴セシニ過キサリシモノト認定セサルヲ得ス従ツテ其期間ニ相当スル割合ノ保険料ノ徴収ヲ終リタル日時ノ如何ニカカハラス本件保険契約ハ大正五年五月二十日ヲ以テ完全ニ成立シタリト認ムヘク乙第七号証ハ右認定ヲ覆スニ足ラス

㈢次ニ本件保険契約ニシテ〔「保険契約者ニシテ」の誤植であろう〕被保険者タル訴外高橋与三五郎ニ被告主張ノ如キ告知義務違反ノ事実アリヤ否ヤヲ審究スルニ被保険者高橋与三五郎カ右契約成立シタル大正五年五月二十日以前既ニ身体ニ被告主張ノ如キ異状アリタル事ハ成立ニ争ナキ乙第一号証並ニ証人天谷政喜ノ証言ノミニ依リテハ之ヲ確知シ難ク却テ証人高橋小せんハ高橋与三五郎ハ大正五年四月下旬ヨリ同年五月二十日迄ニ病気ニ罹リタルコトナク平素ノ如ク諸所ヘ商用ニ赴キ居タル旨証言スルヲ以テ本件契約成立当時ニ於テハ右高橋与三四郎ハ何等ノ病状存セサリシモノト認ム可ク又被告会社ノ普通保険約款第十二条ニ保険契約申込ノ後第一回保険料払込前ニ被保険者ノ身体ニ異状ヲ生シタル時ハ被保険者ハ之ヲ会社ニ通知スヘク之ヲ怠ル時ハ会社ハ契約ヲ解除シ得ヘキ旨規定セルコトハ成立ニ争ナキ甲第一号証及ヒ乙第六号証ニヨリ明確ナリト雖モ保険契約ハ第一回ノ保険料払込後締結セラルルヲ常態トスル点ニ鑑ミルトキハ右規定ハ保険契約成立シ保険者ノ責任始マリタル以後ニ於テハ之カ適用ヲ為ササル趣旨ト解スルヲ相当トス然ルニ被告会社ハ保険期間ニ相当スル割合ノ保険料ヲ徴収セサリシニ拘ラス全部ノ徴収アリタルモノトシテ大正五年五月二十日ニ本件保険契約ヲ成立セシメ同日以後保険者ノ責任ヲ負担セシモノナル事前記認定ノ如クナルヲ以テ契約者ニシテ被保険者タル高橋与三五郎ハ本件契約成立以後ニハ右約款ニヨル告知義務ヲ負担セサルモノト謂フヘク従ツテ被告会社主張ノ如ク右高橋与三五郎ニ於テ大正五年五月二十日以後不足保険料払込前ニ胃潰瘍ヲ患

ヒソノ病症ヲ自覚シ居タル事実アリトスルモ何等右約款ノ拘束ヲ受ク可キ謂ナシ故ニ同人ニ告知義務違反ノ事実アリトシテ被告ノ為シタル本件契約解除ノ意思表示ハ何等其効ナキモノトス然ラハ破告〔「被告」の誤植であろう〕ハ原告ニ本件保険契約上ノ義務ヲ負担スルコト明瞭トス」（東京地判大六・一一・二一評論七商七三三）。

（七）　事実問題か法律問題か　　或る事実又は事項が重要事実又は重要事項であるか否かは、事実問題か、法律問題か。

大正六年九月六日の大審院判決は、これを事実問題であるとしている【45】。

【45】　「……或既往症カ危険ノ測定ニ必要ノ関係ヲ有スルヤ否ヤハ事実上ノ判断ニ属スルコト多言ヲ竢タス本件ニ於テ原院ハ鑑定ノ結果ニ徴シ中原幸之進ノ既往症カ危険ノ測定ニ必要ノ関係ヲ有スルコトヲ認メサリシヲ以テ同人カ之ヲ告ケス却テ既往症ナキ旨告ケタル事実ヲ認メタルニ拘ハラス上告人ニ解除権ナキ旨判定シタルモノナレハ本論旨ハ畢竟事実ノ認定ニ対スル非難ニ外ナラス」（大判大六・九・六民録二三・一三一九。判批、竹田・京法一三・五六一）。

四　告知義務の履行

一　相手方

〔文献〕　青谷「危険の選択と保険医・外務員」（生命保険協会会報四一巻一号）、同「保険医・外務員の法律上の地位」（法学新報六五巻一二号）、同「保険外務員、代理店の地位」（法律時報二四巻五号）、大森「診査医の法的地位」（大森＝三宅「生命保険契約法の諸問題」一八三頁以下）、鬼沢「保険医の法律上の地位を論ず」（法学新報三二巻四号）

（一）　保険者又はその代理人　　告知の相手方は、保険者である。告知は、保険者に対してしなければならない。もっとも保険者は、告知を受領する権限を他人に与えることができ、かかる権限を保険者から与えられている者があるときは、その者に告知すれば足りる。また、保険契約締結の代理権を有する者に対する告知は保険者に対する告知として効力を生ずる（大森・保険法一二三頁註五）。けだし、告知は保険契約を締結すべきや否や、また締結するとすればその内容いかんを決するための資料を提供せしめることを目的とするものであるからである。

（二）　診査医　生命保険にあっては、保険者は契約の締結に先立ち、診査医をして被保険者の身体・健康状態等、危険測定上重要な事項について診査を行なわしめることが多い。かかる診査医に対する告知が保険者に対する告知として効力を生ずるか否かが問題となる。

判例は古くから、告知事項は診査医に対して告知すれば足り、たとえこれが実際に診査医から保険者に伝えられずとも告知義務違反の効果を生じない、という結果を認めるに一致している。つぎにその例として三つの大審院判決をかかげよう。

大審院明治四〇年五月七日判決（民録一三・四八三）は、被保険者が重要事実たる既往症を診査医に告知したが、これが保険者に伝えられなかったという事案に関するものである。保険会社側は、これでは保険者に告知したことにならないと主張する。原審は保険会社側の主張を拒け、診査医に告知した以上、それで充分であって、告知義務違反とはならないとした。すなわち、

「診査医ニ於テ既ニ右事実ヲ知リタル以上ハ被控訴会社（保険者）ニ於テ該事実ヲ知リ得ヘキ状態ニ在リタルモノト認ム（中略）去レハ仮令被保険人ニ於テ契約申込ノ際被控訴会社ニ対シ右事実ヲ告知セサリシモノト

スルモ之カ為メニ本件保険契約ノ効力ニ影響ヲ及ホササルモノトス」（東京控判明四〇・二・二七新聞四一四・五）

保険会社側はこれを不当として上告した。上告理由は、なかんずく、診査医に対する告知が保険者に対する告知として効力を生ずる、とすることの不当を詳細に説いて、つぎのように言っている。

「保険者カ保険契約ヲ締結スルニ当リ医師ヲシテ被保険人ノ身体ヲ診査セシムル所以ハ被保険人ノ健康状態ヲ知リ其生命ノ危険ヲ測定スルニ付決意ノ資料ト為スニ過キス即チ医師ハ鑑定人タルニ止マリ契約締結ニ付何等ノ権限ヲ有スルモノニアラス本件診査医辻村八尾四郎ハ上告会社ノ雇人ニアラス単ニ身体ノ診査ヲ為スニ付キ手数料ヲ支払フニ過キサルコト換言スレハ同人ハ会社ノ代理人ニアラス従テ契約締結ニ付何等ノ権限ヲ有セサルコト原審ニ於ケル上告人ノ抗弁及右八尾四郎ノ証人訊問調書ニ因リテ明白ナル所ナリトス凡ソ保険契約者カ保険契約ヲ為スニ当リ保険者ニ告知スヘキ重要ナル事項ハ保険者若クハ其代理権ヲ有スルモノニ之ヲ告知スルコトヲ要シ代理権ヲ有セサルモノニ之ヲ告知シタリトテ保険者ニ之ヲ告知シタルニアラサルカ故ニ告知ナキト同一ノ結果ヲ生ス本件保険契約者ハ保険契約ヲ申込ムニ当リ生命保険契約申込書（中略）ヲ保険者ニ提出シテ嘗テ疾病ニ罹リタルコトナキヲ告知シ尿道周囲炎ニ罹リタリトノ重要ナル事実ハ之ヲ告知セサリシモノナルカ故ニ仮ニ診査医ニ此事実ヲ告ケタリトスルモ上告人ニ対シテハ何等ノ効力ナク従テ保険契約者ハ右申込書ニ依リ保険者ニ不実ノ事ヲ告ケタル点ニ付キ責任ヲ負ハサルヘカラサルハ保険契約ノ性質及商法第四百二十九条ノ規定ニ徴シ誠ニ明白ナル所ナリトス然ルニ原判決カ診査医ノ知リタル事項ハ当然上告会社ノ知悉スヘキ事項ナリト判定シタルハ保険契約ノ法則ヲ誤解シ且理由不備ノ不法アルモノト信ス（中略）原判決認定ノ如ク診査医ニ於テ既ニ被保険人ノ既往ノ疾病ヲ知ルタル以上ハ仮令診査医カ其事実ヲ上告会社ニ報告セス従テ上告会社ハ実際此事実ニ付キ何等知ル所ナキモ該事実ヲ知リ得ヘキ状態ニ在リタルモノトセンニハ診査医ハ上告会社ノ代理人タル事実（上告人ハ代理人ニアラスト抗弁セリ）若クハ代理人ニアラストスルモ診査医カ此事実ヲ上告会社ニ知ラシムヘキ方法ヲ採リタル事実ヲ判定セサルヘカラス換言スレハ診査医ト上告会社トハ如何ナル関係

ナリシヤ又如何ナル状態ノ下ニ在リシヤヲ判定セサルヘカラス然ラサレハ診査医ノ行為ニ因リ上告会社カ責任ヲ負担セサルヘカラサル理由ヲ知ルヲ得ス凡ソ保険者カ専門ノ知識ヲ有スル医師ヲシテ被保険者ノ健康状態ヲ診査セシムル所以ハ医師カ其専門ノ知識ニ因リテ得タル結果ヲ知了シ以テ保険契約締結ニ付保険者ノ決意ノ資料ニ供センカ為メニ外ナラス従ツテ医師カ保険者ニ其結果ヲ報告セサル場合ニ於テ尚保険者ハ医師カ診査ノ結果得タル事項即チ保険者ノ何等関知セサル事項ニ付責任ヲ負担セサルヘカラサルノ理由万々之アルコトナシ本件ニ於テ診査医カ保険契約ノ締結ニ関スル重要ナル事項ヲ上告会社ニ告知セサリシコトハ争ナキ事実ナルニ拘ハラス原判決ハ此場合ニ於テモ仍ホ上告会社ニ責任アリトシ而シテ上告会社ト診査医トノ間ニハ如何ナル関係アリシヤ且両者ハ如何ナル状態ノ下ニアリシヤヲ判定セスシテ漫然診査医ノ知リタル事項ハ当然上告会社ノ知リ得ヘキ事項ナルカ如ク判断シタルハ代理ノ法則ニ反シ且理由不備ノ不法アルモノト信ス」

しかし、大審院は、つぎのように説いて上告を棄却した。

【46】　「原院ハ上告会社カ本件保険契約ヲ締結スルニ当リ被保険人ノ健康状態ニ関シテハ保険契約申込書ニ記載シタル事項ニ甘心シテ契約スルコトヲ肯セス自ラ信用スル診査医ヲシテ被保険人ノ健康状態ヲ検査セシメ其申告ヲ得テ始メテ保険契約締結ノ決意ヲ為シタルモノト認定シタルニ外ナラサルコト極メテ明ナリ然レハ則チ原院ハ本件ニ於テ診査医辻村八尾四郎ハ上告人ノ耳目トナリ換言スレハ保険契約ニ付テ其機関トシテ使役セラレタル者ト認定シタルコト明ナレハ被保険人カ尿道周囲炎ニ罹リタルコト有リテ現ニ病疵アル事実ハ診査医ノ既ニ知リタルコトヲ理由トシテ上告人カ之ヲ知リ得ヘキ状態ニ在リシモノト判示シタルハ誠ニ相当ニシテ原判決ハ保険ノ法則ニ違背シ若クハ理由ヲ付セサル違法アルモノト謂フヲ得ス但代理ノ法則ニ違反シタリトノ論旨ハ原判旨ニ副ハサル非難ニシテ其理由ナキコトハ上来判示スル所ニ由リテ自明ナルヘシ」（大判明四〇・五・七民録一三・四八三）。

大審院大正五年一〇月二一日判決（民録二二・一九五九）の事案では、被保険者は診査医及び勧誘員に対して重要事実たる既往症の告知をしたが、身体検査の結果その既往症の痕跡がなく、診査医が保険契約申込書に記載するに及ばないと告げたため、保険契約者はこれを申込書に記載しなかつた。保険会社は告知義務違反になると主張した。

原審は、既往症を「保険者の委託を受けたる診査医にして保険者の機関と認むべき吾郷信薫及び保険者の勧誘員にしてその代理人たる桜井善太郎」に告げた以上、保険者は右既往症の告知を受け、これを知つたものである。商法四二九条によれば、保険契約の当時保険契約者又は被保険者が重要な事実を告知しないときでも、保険者がこれを知つたときは契約の解除をなしえないのであるから、保険者は告知義務違反を理由として本件保険契約を解除することはできない、と判示した（新聞一一六五・二七）。

保険会社側が上告した。上告理由は、つぎのように述べている。

「診査医ノ生命保険契約ニオケル代理行為ナルモノハ被保険者ノ身体状況ヲ診査シテコレヲ診査報状ニ記載シモッテ本人タル保険者ニ之ヲ知ラシムル範囲ニ止マルカ故ニ彼ノ生命ノ危険測定ニ重要トシテ顕著ナル事実事項ヲモ之ヲ告知スルニ及ハストスルカ如キ重大ナル取捨選択権限迄モ有スルモノト為スヘカラサルコト当然ナリ若夫レ本件告知義務者ニ於テカカル代理権限ヲモ有スルモノト信スヘキ事情ノ存シタリトスレハ証拠ニ基ツキテソノ事実ヲ判示セサルヘカラス然ルニ原判決ニ於テ前掲判示ノ如ク漫然代理権ノ存在ヲ認定シタルハ理由不備ノ不法アルヲ免レス」（なお、勧誘員に対する告知の効力の点については、後述する）

大審院は、つぎのように説いて上告を棄却した。

【47】「保険会社ノ診査医ハ会社ヨリ雇使セラルル者ナルト嘱託セラルル者ナルトヲ問ハス会社ノ機関ト

シテ申込人ノ健康状態ヲ調査スル任務ニ従事スルモノナルカ故ニ申込人ノ身体状況ニ関シ危険測定ニ重要ナル事実ノ告知ヲ受クルコトヲ得ルハ勿論告知ヲ受ケタル事実カ重要ナルヤ否ヤヲ判断シ保険契約者ヲシテ之ヲ保険申込書ニ記載セシムヘキヤ否ヤヲ決定スルコトヲ得ルモノト謂ハサルヘカラス」（大判大五・一〇・二一民録二二・一九五九。判批、竹田・商法判例批評一巻二一九頁、松本・私法論文集三巻三三五頁）。

大審院大正一三年四月八日判決（新聞二二五四・一八）は、被保険者は、診査医に対して、自己に腎臓炎の既往症があってまだ全治せず治療中である旨を告げたが、診査医はこれを保険者に伝えなかった、という事案に関するものである。大審院は、つぎのように述べた。

【48】　「生命保険業者カ被保険者ノ健康ヲ診断スルハ保険契約締結ノ前提ニシテ必要欠クヘカラサル事項ニ係リ医師ヲシテ其ノ衝ニ当ラシメソノ診査如何ニヨリ保険契約ヲ締結スヘキヤ否ヤヲ決スルヲ以テ業務ノ状態ナリトス従ツテ保険医師ハ生命保険会社ノ営業遂行上必要ナル機関ナルニヨリ同医師カ被保険者ノ健康ヲ診査スルニ当リ保険契約ノ締結ニ影響ヲ及ホスヘキ事実又ハ事項ヲ了知シタルトキハ仮令同人ニ於テ故意又ハ過失ニ因リ之ヲ保険業者ニ告ケサリシトスルモ保険業者ハ尚其ノ責ニ任スヘキハ当然ナルヲ以テ……」（大判大一三・四・八、新聞二二五四・一八）。

以上二・三の例を挙げたが、判例は、告知事項は診査医に対して告知すれば足り、たとえこれが診査医から保険者に伝えられずとも告知義務違反の効果を生じない、という結果を認めるに一致している。この点については判例法が確立していると見てよいであろう（田中誠・新版保険法一〇〇頁以下二六三頁）。

診査医に対して告知すれば足りる、という判例が認めているこの結論そのものはすこぶる妥当であって、これについては学説上も異論はない。ただ、その理由づけないし理論構成については若干問題がある。

多数の判例は、診査医に対して告知をすれば足りるという結論を導くにあたり、診査医は保険者の機関である、ということを理由としている。しかしながら、診査医が保険者の機関であるということは、所詮一場の比喩にすぎなく、このことからさような結論を導くことはできないと言わねばならない（竹田・法学論叢八巻六号一二〇頁、大森・〃三宅「生命保険契約法の諸問題」一九四頁）。また判例の中には、診査医が事実を知った以上保険者はこれを知りうべき状態にあったというふうに、商法六七八条但書の適用という形で問題を処理しようとするものもある。しかし、診査医から保険者に伝えられなかったことが直ちに保険者の過失であると言いうるかは、元来それ自体として検討を要する問題であって、かような態度は問をもって問に答えるに等しい（大森〃三宅・前掲一九八頁）。また、診査医に対して告知した以上告知義務者にはその責に帰すべき事由がないというようなことを述べている判例もみられるが（大判大九・一二・二二民録二六・二〇六二）、かような場合告知義務者に過失がないといえるかどうかは元来必ずしも自明のことではなく、これも問題を根本的に説明したことにはならない（竹田・法学論叢八巻六号一二二頁、大森〃三宅・前掲一九九頁以下）。

思うに、診査医に対する告知は保険者に対する告知たるの効力を有するという結論は、診査医が保険者の告知受領の代理人である、ということから導くのが適当である。これについては、その代理権の発生の根拠が問題とならざるをえないが、特段の事情がない限り、保険者がある者を診査医とし、これに被保険者を診査しかつ保険契約者及び被保険者より危険測定に関する事情を聴取しこれを保険者に報告することを委託する行為のうちに、黙示の告知受領の代理権の授与行為が含まれているものと考うべきではないかと思う。なお告知は観念の通知であって意思表示ではなく、他方代理というものは元来は意思表示についていわれるものであるけれども、観念の通知についても代理がありうることは一般に承認されていると言ってよい（竹田・法学論叢八巻六号一二三頁、大森・三宅・前掲二〇二頁。大森教授は、診査医は、その職務の性質上、被保険者の身体・健康の状況その他危険の測定に関し重要な事項について告知を受領する代理権を与えられているものと推定すべきである、とされる（大森・三宅・前掲一八三頁以下、大森・保険法二八三頁））。

なお、すでにその地位を失っている保険医に対して告知がなされた場合につき、これが保険者に対する告知として効力を生ずる、とした大審院判決がある【49】。

【49】「生命保険ノ診査医ハ保険契約締結ニ際シ会社ノ機関トナリ被保険者ノ健康状態ヲ診査スル地位ニ在ルモノナルカ故ニ保険契約者又ハ被保険者カ被保険者ノ生命ニ関シテ危険測定ニ重要ナル事実ヲ診査医ニ告知シタルトキハ其告知ハ会社ニ対シテ有効ナルコトハ従来当院判例ノ認ムル所ナリトス而シテ会社ノ診査医甲カ当初診査ヲ為シタル後保険契約締結ニ至ルマテ其間僅ニ十数日ニ過キサルカ如キ場合ハ保険契約者又ハ被保険者ニ於テ甲ノ診査医タル資格カ契約締結当時マテ尚依然トシテ継続スル者ト思惟スルハ社会普通ノ状態ナルカ故ニ若シ其間ニ於テ被保険者ノ健康状態ニ異変ヲ生シ生命ノ危険測定ニ影響ヲ及ホスヘキ重要ナル事実ヲ発生シタル場合ニ診査医甲カ例ヘハ其嘱託ヲ解除セラレテ会社ノ機関タル資格ヲ喪失シタル事実ヲ了知セス善意ニ之ヲ甲ニ告知スルモ之ヲ以テ保険契約者又ハ被保険者カ重大ナル過失ニ因リ重要ナル事実ノ告知ヲ怠リタルモノト云フコトヲ得ス」（大判大八・九・九新聞一六一〇・二〇）。

この判決は、診査医は保険者の機関であるという立場によりつつ、表見代理の法則に表われた外観尊重の法理を援用しているが、むしろ率直に表見代理の法則そのものの適用によって事を決すべきであったと思われる（大森・三宅・前掲二〇六頁）。

（三）　外務員　生命保険の勧誘に従事する外務員に対する告知は、保険者に対する告知として効力を生ずるか。判例は、外務員に対する告知は、例外的に外務員に告知受領の権限が与えられている場合を除き、保険者に対する告知としての効力を生じないとする。

大審院大正五年一〇月二一日判決（民録二二・一九五九）の事案では、被保険者は、診査医及び勧誘員に対して重要事実たる既往症の告知をしたが、身体検査の結果その既往症の痕跡がなく、診査医がこれは保険契約申込書に記載するに及ばないと告げたため、保険契約者はこれを申込書に記載しなかった。保険会社側は、告知義務違反になるという。

原審は、既往症を「保険者の委託を受けたる診査医にして保険者の機関と認むべき吾郷信薫及び保険者の勧誘員にしてその代理人たる桜井善太郎」に告げた以上、保険者は右既往症の告知を受け、これを知ったものである。商法四二九条一項によれば、告知がなくとも、保険者が当該事実を知ったときは契約の解除をなしえないのであるから、保険者は告知義務違反を理由として本件保険契約を解除することができない、と判示した（新聞一一六五・二七）。

保険会社側は、なかんずく、つぎのように述べて上告した。

「保険契約ノ承諾ノ意思表示ヲナスモノハ保険者ナリ彼ノ勧誘員ナル者ハタダ保険契約申込ノ誘引行為ヲ代理スルノミニスキス果シテ然レハ本件ニ於テ勧誘員タル桜井善太郎カソノ保険契約ノ意思表示ニ於テ当事者ノ代理ヲナス権限アリトナスニハ証拠ニヨリテソノ代理権ヲ認定シタル理由ヲ判示セサルヘカラス」

大審院は、これに答えてつぎのように判示した。

【50】「保険会社ノ勧誘員ナルモノハ保険会社ノ為メ保険契約ノ申込ヲ誘引スル保険会社ノ使用人タルニ過キスシテ会社ヲ代理シ保険契約申込ノ意思表示ヲ受クル権限ヲ有セサルモノト推定セラルヘキモノナルヲ以テ該権限ノ有無カ争ト為レル本件ニ於テ原院カ其判示ノ如ク上告保険会社ノ勧誘員タル桜井善太郎ニ右権限アリト認定センニハ証拠ニ基キ之ヲ認定シタル理由ヲ説明シ以テ上告人ノ此点ニ関スル抗弁ヲ排斥セサルヘカラス然ルニ原院ハ右係争事実ニ付何等証拠理由ヲ示スコトナク漫然桜井善太郎ヲ上告会社ノ代理人ナルカ如ク判示シタルハ所論ノ如ク理由不備ノ瑕瑾アルヲ免レス」（大判大五・一〇・二一民録二二・一九五九、【47】と同一判決）。

しかしこの事件では、診査医に対しても告知がなされており、裁判所はこれが保険者に対して効力を生ずるとし、結局告知義務違反の効果は発生しないとして保険会社を敗訴せしめた。

東京控訴院大正六年一一月二二日判決（新聞一三五五・一九＝評論六商七五七）は、被保険者が勧誘員に既往症の告知をしたことを認めた上で、つぎのように言う。

【51】「保険会社ノ勧誘員ハ普通此ノ如キ告知ヲ聴取スルニ付キ会社ヲ代理スヘキ資格ヲ有スルモノニアラス且右両人（勧誘員）カ特ニ此ノ如キ代理権ヲ有シタリト認ムヘキ何等ノ証左ナク又右両名カ前記告知ヲ控訴会社（保険者）ニ伝達シタリト信スヘキ徴憑ナキヲ以テ此等勧誘員ニ対スル既往症ノ告知ハ会社ニ対シテ何等ノ効力ヲ発生スヘキ謂ハレナキモノナリ」（東京控判大六・一一・二二新聞一三五五・一九＝評論六商七五七）。

裁判所は、保険会社の解除権の行使を正当と認めて保険金受取人側を敗かしている。

大審院第四刑事部昭和七年二月一九日判決（刑集一一巻八五頁）は、被保険者の現症を隠秘して保険契約を締結し、保険金相当額を騙取しようとした行為につき詐欺罪の成否が問題となっている事件である。原審が詐欺罪の成立を認めたのに対し、被告人側は「問題の被保険者の現症は保険者の外務員に告知した。

外務員は保険者の『表現者』であるから、外務員に告知した以上、保険者に告知したことになる。よって詐欺罪は成立しない」と主張して上告した。大審院はこれに答えてつぎのように説く。

【52】「萩原京助ハ原判決ニ依レハ右保険会社ノ外交員ニシテ単ニ保険契約者ノ募集ヲ為スヲ得ルニ過キサル者ナレハ保険契約締結ニ付会社ヲ代表シ得ヘキニ非サルコト明ナリ然レハ同人ニ対シ被告人カ妻ふみ（被保険者）ノ疾患ヲ申告シタレハトテ之ヲ以テ会社ニ此ノ重要事項ヲ告知シタリト為スヘキニ非ス」（大判昭七・二・一九刑集一一・八五）。

東京地裁昭和二六年一二月一九日判決（下級民集二巻一四五八頁）は、原告（保険契約者の代理人、同時に保険金受取人）が被保険者の既往症をH（被告保険会社埼南支部長、被告保険会社外務員）に告知したという事実を認めた上で、つぎのようにいう。

【53】「Hにおいて、被告会社を代理して右告知を受ける権限のあつたことはこれを認め得る証拠がないばかりか、前示各証拠によれば却つて、Hは被告会社の外務員として保険加入申込の勧誘、申込の取次、保険料受領の権限があつたのみで、被告会社を代理して申込に対し締約を応諾する権限がなかつたことが認められる。ところで、保険契約における重要事項の告知は、これにより締約の応否を決するためであるから、その性質上、締約につき決定権を有するもの（代理人を含むことは勿論であるが）に対してなされなければならないものであるから、Hに対する告知は告知としての効がないものと云はざるを得ない。（中略）他に告知を受ける権限を有するものに対し告知があつた事実の証拠がなく、しかも（中略）本件保険契約申込書の告知欄には既往に著患症（中略）がない旨の記載があるだけで、康祐（被保険者）の肺浸潤について何等の記載がないことが認められる。して見れば原告は本件保険契約申込にあたり契約者の代理人として被保険者の康祐が肺浸潤のために入院した事実を知りながら、被告に告知しなかつたものであるから悪意に因り重

要な事実を告げなかつたものと言うの外はない。」(東京地判昭二六・一二・一九下級民集二・一四五八、判批、東京大学商法研究会・商事判例研究昭和二六年度第三九事件(古瀬村))。裁判所は、保険会社の解除を正当と認め、保険金受取人の保険金支払の請求を棄却している。

二　告知の時期

告知は、契約成立の時までになされることを要し、かつこれをもつて足りる。従つて、告知義務違反の有無は、契約申込の時でなく、契約成立の時を標準として、これを決することを要する(大森・保険法一二三頁)。前出の大審院大正八年九月九日判決【49】は、この理論を前提としていると言える(なお、約款の規定により保険契約成立後第一回保険料払込の時までに生じた事実について告知をなすべき場合は、かかる事実の告知は第一回保険料払込の時までになせば足りると解される)。

三　告知の方法

告知の方法については、法律上は格別の制限はなく、書面によると口頭によると、また明示的たると黙示的たるとを問わない。約款に、「保険契約者又は被保険者が当会社に告知すべき事項は、保険契約申込書に記載したるに非ざれば、当会社に対抗することを得ず」という規定がある場合につき、かかる特約がある場合でも保険者が当該事実を知った以上は保険契約を解除することができない、とした大審院判例がある(前出【8】)。

四　告知の程度

一般に告知は、問題の事実について正しい観念を保険者に与える程度に正確でなければならず、かつこれをもつて足りるというべきであろう。告知が必ずしも厳密に正確ではない場合につき、これが告知としての効力を有することを認めた例として、つぎの諸判決がある。

【54】「仮リニ同人（被保険者）カ肋膜肺炎ニ罹リタル事実アリトスルモ同人カ本件契約締結当時被告会社ニ対シ明治四十五年一月中一ケ月間程気管支肺炎ニ罹リタルコトヲ告知セシ事実ハ当事者間ニ争ナキトコロニシテ被告会社カ苟モ呼吸器ニ関スル疾患ニ付キ告知ヲ受ケタル以上其診査医ヲシテ特ニ呼吸器ニ付キテハ相当ノ注意ヲ以テ診査ヲ為サシムルヲ相当トスヘク右ノ肋膜肺炎カ之レヲ覚知スルニ甚タシキ困難ヲ感スルモノニアラサル限リハ未タ以テ本件契約解除ノ理由ト為スニ足ラス従テ右解除ノ意思表示ヲ為シタリトスルモ其効ナシ」(東京地判大四・七・二九新聞一〇四二・二五)。

【55】「証人津田博明阿部省吾ノ証言及ヒ鑑定人塩谷不二雄ノ鑑定ヲ綜合スレハ光太郎ハ明治四十五年一月ニ於テハ急性気管支肺炎ニ罹リタルモ光太郎自身気管支肺炎ト信シタリト認ムルヲ相当トス又証人阿部省吾堀江マサ子ノ証言ヲ綜合スレハ光太郎ハ明治四十五年一月下旬ヨリ右ノ疾病ノ為メ同年三月六日頃迄投薬治療ヲ受ケ三月七日ヨリ片瀬ニ転地療養ヲ為シ其後小田原熱海ト転地療養ヲ為シタルコトヲ認ムルヲ得故ニ光太郎カ診査医ニ対シ気管支肺炎ニ罹リ一ケ月許リ療養シ経過良好ナリシ旨ヲ告ケタルハ告知義務ニ違反シタルモノト云フヘカラス控訴代理人ハ光太郎カ一ケ月位ニテ全治シタリト告ケタリト主張スレトモ同人カ経過良好ト云ヒタルハ全治トハ別意義ニシテ疾病カ順当ノ経過ヲ取リ恢復期ニ向ヒタリトノ意義ト解スヘキヲ以テ其主張ハ理由ナシ」(東京控判大五・二・二六(評論では大五・二・二二)新聞一一〇八・二四＝評論五商三九八。【54】の控訴審判決)。

【56】「保険契約者又ハ被保険者ハ本件保険契約締結ニ際シ右ノ如キ重要事実（肉腫症の既往症）ヲ被告会社ニ告知シタル事実アリヤ否ヤヲ案スルニ（中略）原告ハ本件保険契約締結ニ際シ被告会社ニ対シ少クトモ被保険者門林武良カ大腿部ノ切開手術ヲ為シタル事アル事実ヲ告知シタルモノナル事ヲ認定スルニ足ル已ニ大腿部切開手術ヲ為シタル事アル事実ヲ告知シタル以上ハ保険契約ニ所謂重要ナル事実ヲ告知シタルモノナリト認ムヘク其疾患ノ病名ノ肉腫ナルコトヲ告知シタル事実ナシトスルモ敢テ之ヲ以テ告知義務違反ナリト為スヲ得ス蓋シ被保険者ノ既往症カ保険契約ニ所謂重要ナル事実ニ該ルトキハ保険契約者又ハ被保険者ハ其ノ疾患ヲ告知スレハ足リ其ノ疾患ノ厳密ナル医学上ノ病名ノ如キハ敢テ之ヲ告知スルヲ必要トスルモノニ

アラサレハナリ」（東京地判大五・五・一八新聞一一三七・二〇＝評論五商七二五）。

なお判例は、羞恥部の疾患に関しては詳細な告知をしなければならないとする【57】。判例によれば、例えば子宮膣部の悪性腫瘍の現症がある場合に、たんに白帯下がある旨の告知をしただけでは足りない（大判大六・一二・一四民録二三・二〇三六）。子宮内膜炎・子宮膣部癌腫症の現症がある場合に、「たんに白帯下に罹り居る旨の告知」をしただけでは足りない（大判大七・三・四民録二四・三二三【12】）。また、痔瘻がある場合に、「単に以前痔を病みたることある旨」の告知をしただけでは足りない（東京地判昭九・七・一七新聞三七四七・八＝評論二三商五四四、新報三七二・二二）。

【57】「保険者カ被保険者ノ身体検査ヲ為ス際羞恥部ノ診査ハ之ヲ為ササルヲ例トス蓋人ノ羞恥心ヲ傷クルコト尠カラサルヲ以テナリ左レハ此部ノ疾患ニ関シテハ保険契約者又ハ被保険者ニ於テ特ニ詳細ナル事実ヲ告知スルヲ要ス詳言スレハ保険者カ其告知セラレタル諸般ノ事実ヨリ推測スレハ其疾患タルヤ羞恥部ノ診査ヲ敢テスルニ非サレハ到底其性質ヲ確知スル能ハサル程度ノモノニシテ従ヒテ被保険者ノ同意ノ下ニ斯ル診査ヲ行ヒ得サル限リ保険契約ノ締結ハ始ヨリ之ヲ謝絶スルノ外ナシトノ決意ヲ保険者ニ惹起セシムル丈ケニ詳細ナル事実ヲ告知スルヲ要ス従ヒテ或ハ自覚症状ノ一端ノミヲ告クルカ如キ或ハ其疾患ニ付キ曾テ医師ノ診断ヲ受ケタルコトヲ告ケサルカ如キハ孰モ告知義務ノ違反ト云ハサルヘカラス」（大判大六・一二・一四民録二三・二〇三六。判批、竹田・京法一三・八三一、松本・私法論文集三巻五五〇頁。差戻後の控訴審判決は、大阪控判大正七年(ネ)一五八号判例三巻民事一二七一頁）。

五　告知義務の違反

——その一　告知義務違反の成立要件

〔文献〕　田中和夫「告知義務における『悪意又は重過失』」（法政研究一三巻一号）、青谷「告知義務における悪意又は重過失について」（法学新報五四巻一一・一二合併号）。

一　総説

告知義務の違反は、告知義務者が悪意又は重大な過失により重要な事実を告げず、又は重要な事項につき不実の事を告げたときに成立する（商法六七八）。

従って、まず客観的要件として、告知義務者が重要事実について告知をしないこと（不告知若しくは黙秘）、又は重要事項について不実の事を告げたこと（不実告知若しくは虚陳）を必要とする。なお、例えば被保険者が肺結核の既往症を有するにかかわらず、保険者から既往症の有無を問われて、無しと答えたとする。これは、既往症に関する告知としてみれば、有るものを無いと答えたのであるから不実の告知である。しかし他方、特に肺結核の既往症という事実を中心として観察すれば、これについては告知をしなかったのであるから不告知であるといえる。このように、重要事実が存在するにかかわらずそれがない旨の告知をしたときは、見方によって、不実の告知ともまた不告知とも言えるわけであるが、判例では、このような場合を不告知として取扱っているものが多いように見受けられる。

つぎに、主観的要件として、告知義務者に悪意又は重大な過失があることを必要とする。ここに悪意とは、告知義務者が、告知義務ある事実又は事項について告知をしないこと又は不実の告知をすることを知っていることをいう。また、重大な過失とは、著しく注意を欠いたために右のことを知らないことをいう。

告知義務違反の要件の存在は、すべて、これを理由として保険契約を解除しようとする保険者の側から立証しなければならない。

二　悪意による告知義務違反

（一）　総説　　悪意による告知義務違反は、既述の通り、告知義務者が告知すべき事実又は事項について告知をしないこと又は不実の告知をすることを知りながら、告知をせず又は不実の告知をする場合に成立する。従つて、悪意による告知義務違反が成立するためには、その客観的要件のほかに、第一に、事実そのものの存在又は告知が不実であること、第二に、その重要性、及び第三に、告知をしないこと又は不実の告知をすること、この三つを告知義務者が知つていることが必要である。

（二）　害意を要しない　　悪意による告知義務違反が成立するためには、告知義務者に事実をかくそうとする意思、若しくは不実を告げようとする意思、又は保険者を害する意思があることは必要でない（竹田・商法判例批評一巻二四六頁、松本・商法解釈の諸問題三七九頁、田中誠・新版保険法一七二頁、伊沢・保険法一七一頁、大森・保険法一二七頁）。従つて、例えば、実の子ではないが幼時から実子同然に養育し戸籍上も実子として記載されている者を被保険者として生命保険契約を締結するに際し、何心なくこれを実子と告げたのであつても――従つて、ことさらに虚偽の告知をすることを欲してそうしたのではなくとも――、ここにいう悪意たりうることとなる（大判大五・一一・二四民録二二・二三〇九）。

（三）　質問表と重要性の悪意の推定　　保険者が書面で告知を求めた重要事項については、告知義務者はその重要性を知つたものと推定しうるかどうかが問題となる。判例でこの問題を正面から論じたものはないようであるが（東京地判昭一二・一一・二二新聞四二二二・六参照）、私は、さような推定をするのが適当ではないかと考える。もつとも、保険者がある事項について告知を求めた場合において、告知義務者が自己の知つているある具体的事実がこれに該当しないと信じたときは、重要性についての悪意はないといわねばならない。保険者の質問が具体的個別的でなく、抽象的一般的であるとき（例えば、具体的な病名をあげてそれに罹ったことの有無を問うのではなく、「重要な既往症はありませんか」というような質問をするとき）には、さような場合がありうるであろう。

（四）悪意の有無の認定の具体例　つぎに、判例にあらわれた悪意の有無の認定の具体例を示しておこう。

(1)　告知義務者が問題の事実を知っていたか否か、又は告知が不実であることを知っていたか否かの認定

【58】「悪意ヲ立証スルノ責任ニ至リテハ其責任保険者ニ在ルヲ原則トスルコト寔ニ上告人所論ノ如シ故ニ本件ニ於テ保険契約者遠藤多十カ被保険者遠藤こうノ血族ニ付キ為シタル不実ノ告知カ悪意ニ出テタルコトノ立証ヲ要スルニ於テハ之カ立証ノ責任ハ保険者タル被上告会社ニ在リト雖モ遠藤こうカ原院ノ確定シタルカ如ク遠藤多十及ヒ上告人間ノ実子ニ非サル以上ハ其実子ニ非サルコトハ遠藤多十ニ於テ知ラサルヘカラサル事ニ属シ従テ遠藤多十ハ己等夫婦ヲこうノ実父母ナリトシ又己等夫婦ノ父母ヲこうノ実祖父母ナリトシテ其健否死亡年齢ヲ告クルコトノ不実ヲ告クルモノタルコトヲ知レルモノト見ルヘキハ事体上当然ノ理ニシテ立証ヲ待テ始メテ知ルヘキニ非サレハ原院カ確実ナル反証ナキ限リ遠藤多十ハ悪意ヲ以テ不実ノ告知ヲ為シタルモノト認ムルヲ相当トスト判示シ却テ保険契約者ニ悪意ニ非サルコトノ立証ヲ求メタルハ本件ノ場合ニ於テハ適当ニシテ間然スル所ナシ」（大判大五・一一・二四民録二二・二三〇九。判批、竹田・商法判例批評一巻二四六頁）。

本判決は、保険契約者が、戸籍の上では自分の実子となっているが実はそうでない者を被保険者として保険契約を締結しようとする場合において、被保険者の尊族親の健否等に関する告知を戸籍面の

記載に従ってした、という事案に関するものである。

【59】「被上告人（保険契約者兼受取人）カ大正四年一月三十日上告会社ト保険契約ヲ締結シタル以前即チ大正三年一月中被保険者戸田ヲカハ既ニ子宮内膜炎ニ罹リテ医師杉生学蔵ノ治療ヲ受ケ尚同年十一月中子宮膣部癌腫症ニ罹リテ医師浅田春之ノ診察治療ヲ受ケ終ニ大正四年三月十八日之カ為ニ死亡シタルコトハ原判決ノ認メタル事実ニシテ即チ被保険者戸田ヲカハ当時生命ノ危険ヲ測定スルニ重大ナル関係ヲ有スル疾患ニ罹リ居リタルモノナルヲ以テ縦令医師ヨリ前記病名ノ告知ヲ受ケタル事実ナシトスルモ其重患ニ罹リ居リタル事実自体ハ被保険者ニ於テ之ヲ自覚シ居リタルモノト看做スヘキハ当然ニシテ……」（大判大七・三・四民録二四・三二三。判批、竹田・京法一三・一二七四、松本・私法論文集三巻六二三頁【12】と同一判決）。

【60】「被保険者カ気管支加答児ニ罹リタル事実アレハ同人ハ医学上ノ病名如何ニ関係ナク疾患夫自体ヲ自覚シ居リタリト推定スヘキハ当然ニシテ上告人（保険会社）ノ立証ヲ竢チテ之ヲ決スヘキモノニ非ス」（大判大七・一〇・五民録二四・一八六八、【13】と同一判決）。

【61】「被保険者カ精神病ノ既往症ヲ有スル場合ニ於テハ精神障害ノ存スル間ハ固ヨリ該病症ヲ覚知スルトコロナキモ既ニ精神障害ノ状態去リ平静ニ復シタルトキハ或ハ家人其他ノ者ヨリ告知セラレ又ハ該発作中ニ於ケル自己ノ行跡ヲ追懐シ既往ノ病症ヲ了知スルニ至ルコトハ通常ノ事例ニシテ其ノ平静ニ復シタル後ニ於テモ尚之ヲ覚知スルトコロナカリシモノトセハ被保険者ニ重大ナル過失アルモノト謂ハサルヘカラス」（大判昭九・一〇・三〇新聞三七七一・九）。

【62】「実兄カ肺結核ニテ死亡シタル事実ノ如キハ特別ノ事情ヲ存セサル限リ其実弟ニ於テ之ヲ知ルヲ普通トスヘク之ヲ知ラサリシトセハ少クモ其重大ナル過失ニ基クモノト認ムヘキモノトス而シテ甲第一号証ノ二ニヨレハ石井与四郎ト其実兄謙蔵トハ其戸籍ヲ別異ニスル事実ヲ認メ得ルト雖モ単ニ戸籍ヲ別異ニシ別戸

ニ住居スト云フカ如キ事実ノミヲ以テシテハ前段所謂特別ノ事情ノ存在スルコトヲ認ムルヲ得サルヲ以テ保険契約者被保険者ハ其実兄カ肺結核ニテ死亡シタル事実ヲ知リタルヘク之ヲ知ラサリシトセハ之ヲ知ラサルニ付重大ナル過失アリタルモノト認定ス……」（東京地判大五・二・一七新聞一一一六・二七＝評論五商二九四）。

【63】「父カ精神病ニテ自殺シタルカ如キ事実ハ特別ノ事情ナキ限リ其ノ子ニ於テ之ヲ知リ又ハ当然知リ得ヘカリシモノト認ムヘキモノナルヲ以テ……」（東京地判昭八・九・一一新聞三六一二・七）。

【64】 父親がその娘を被保険者として保険契約を締結した。その娘の実兄には結核の既往症がある。保険契約者たる父親がこの結核の既往症を知っていたかどうかの判断。

「右敏男並ニひさノ実父トシテ当然右敏男ノ病歴ヲ知悉シ居タル筈ノ本件保険契約者源八トシテハ……」（東京地判昭一二・一一・二二新聞四二二二・六＝評論二七商六九）。

【65】「右篠原正（保険契約者兼被保険者）カ本件保険契約締結当時ソノ実兄篠原義男カ結核性肋膜腹膜炎ニテ死亡シタルコトヲ被告（保険会社）ニ告ケナカツタコトハ原告ノ認メルトコロテアル一般ニソノ兄カカヤウナ病気テ死亡シタコトハ特別ノ事情ノナイ限リソノ実弟テアルモノハ知ツテ居ルノカ普通テアリコレヲ知ラナイトスレハ少クトモ重大ナ過失カアツタモノト認メルノカ相当テアルカ本件ニツイテコレヲ観ルト証人松原長治郎青山ツネノ各証言及ヒ原告本人訊問ノ結果ニヨレハ右訴外人ノ実兄篠原義男カ大正十四年一月死亡シタ当時右訴外人ハ僅カニ十四歳テアツタコトソノ兄ニツイテ母モ死亡シタノテ同年右訴外人ハ郷里ヲ去リソノ後大阪テ暮シテ居タコト昭和八年以来右訴外人ト結婚同居シテ居タ原告ハ勿論原告ノ実父モ右訴外人カラ右義男ノ死因ニツイテ何モ聞イタコトカナク右義男ノ死亡ノ際特ニ帰郷シタ右訴外人ノ実姉サヘ右義男カトンナ病気テ死亡シタカヲ知ラナカツタ事実カ認メラレルノテアリコレラノ事実ヲ綜合シテ考ヘルト反証ノナイ限リ右訴外人ハソノ実兄義男カ前記ノヤウナ病気テ死亡シタコトハ知ラナカツタノテアリマタコレヲ知ラナカツタニツイテ少クトモ重大ナ過失ハナカツタモノト認メルノカ相当テアル……」（東京地判昭一五・五・三一新聞四六一二・九）。

(2) 告知義務者が問題の事実又は事項の重要性を知っていたか否かの判断

【66】　「原院ハ被保険者松島亀次郎カ契約締結当時気管支加答児ニ罹リ居タリトセハ被上告会社ノ検査医カ之ヲ覚知セサリシハ其過失ニ因ルモノナルヲ以テ被上告会社ハ保険契約ノ解除ヲ為スコト得ストノ上告人主張ニ対シ村山熊寿ノ第一審ニ於ケル証言辻岡律ノ原審ニ於ケル証言及ヒ勝部近義ノ鑑定ヲ綜合シテ被上告会社ノ検査医カ松島亀次郎ヲ診査シタル際気管支加答児ノ存スルコトヲ覚知セサリシハ過失ニ非サル旨判示セリ蓋シ村山熊寿、辻岡律ノ証言中ニハ同人等カ亀次郎ノ病症ヲ『リユウマチス』又ハ神経衰弱ト診断シタル旨ノ証言アルモ気管支加答児ノ存在ニ付キ何等ノ証言ナキト勝部近義ノ鑑定ニ気管支加答児ハ聴診ニテ感知シ得ルモノナルモ軽症ナルトキハ頗ル困難ナル場合アリトアルニ依リタルモノナルヘキカ故ニ此判示ニ依レハ原院ハ契約当時ニ於ケル亀次郎ノ気管支加答児ハ医師ト雖モ普通ノ注意ニテハ感知スルヲ得サリシ程度タリシモノ換言スレハ軽症ナリトシ従ツテ被上告会社ノ検査医カ之ヲ覚知セサリシハ過失ニ非スト判定シタルモノト為ササルヲ得ス然ルニ其前段ニ於テ松島亀次郎カ契約前ヨリ気管支加答児ニ罹リ居リタリトスルモ其病状ハ軽微ニシテ何等危険ナキ程度ノモノナリシ故ニ同人ハ其病名ハ勿論疾患スラ自覚セサリシ旨ノ上告人主張ニ対シテハ『鑑定人勝部近義ノ此点ニ関スル鑑定ハ当院ニ於テ採用セス被控訴人ノ挙ケタル他ノ立証ニ依リテハ被控訴人主張事実ヲ肯定スルニ由ナシ』ト判示シ上告人ノ提出シタル第一審証人村山熊寿、原審証人辻岡律等ノ各証言鑑定人勝部近義ノ鑑定其他ノ証拠ハ総テ主張事実ヲ認ムルニ足ラストナシタルハ即チ亀次郎ニ契約当時ニ於ケル疾患カ軽症ナラサリシト為シタルニ外ナラサルモノノ如シ果シテ然レハ原判決ハ理由齟齬ノ不法アルノミナラス気管支加答児ハ病症軽微ニシテ医師ト雖モ之カ存在ヲ感知スルニ困難ナル場合ノ如キハ患者ニ於テモ之ヲ自覚セサルコト尠シトセス故ニ被保険者松島亀次郎カ契約締結前ヨリ気管支加答児ニ罹リ居タルニセヨ結約当時其病症軽微ナリシナランニハ必スシモ自覚アリシモノト謂フヘカラス然ルニ原院カ亀次郎ハ保険契約ノ成立シタル大正二年六月三十日前ヨリ気管支加答児ニ冒サレ医師ノ診断ヲ受ケ

同月二十一日迄服薬シ居タルニ爾後高低アルモ病勢漸ク昂進シテ肺尖加答児ノ症状ヲ呈シ遂ニ大正五年五月二十一日肺結核症ニ因リ死亡シタル旨判示シタルモ結約当時ニ於ケル病症ノ軽量タモ判示セスシテ直ニ亀次郎カ其当時疾患ノ存在ヲ自覚シ居タル旨判定シタルハ理由不備ノ不法アルモノニシテ原判決ハ破毀ヲ免カレス」（大判大九・一〇・二五新聞一八〇六・一七。本判決は、大判大七・一〇・五民録二四・一八六八の差戻後の上告審判決であると思われる）。

【67】「原審挙示の証拠によれば本件保険契約締結前保険契約者兼被保険者安福助一は訴外纐纈医師に対し言語障害歩行稍不都合右手軽度の麻痺感痛感鈍麻食物嚥下稍困難等の自覚症状を訴へて診察を受け同医師より愛知県大学病院にて診察を受くべき旨の勧告を受けたること右勧告に従ひ同病院に赴き酒井医師の診察を受け血液の検査を受けたること尚其の以前訴外内藤医師の診察を受け脳黴毒なりと診断され其の事実は上記酒井医師の診察を受けたる際助一に附添ひ居りたる同人の妻くまより同医師に対し詳細語りたる事実等を認むるに足る 斯る事実の 存する以上通常其の病症尋常一般のものに非ることを 自覚すべきは 当然なるが故に……」（大判昭一〇・七・一二法学五巻三五八頁）。

【68】「被保険者白土量太郎カ明治四十二年二月二十日ヨリ同年四月十六日迄北海道室蘭病院ニ入院シテ治療ヲ受ケタルコトハ乙第一号証ニヨリテ之レヲ認ムヘク又右病症ハ被控訴人主張ノ如クニ肝臓癌ニアラストスルモ少クトモ経過ノ久シキニ亘ル疾病ニシテ軽症ニアラサリシコトハ乙第一号証及ヒ塩谷不二雄ノ鑑定ヲ綜合シテ之レヲ認ムルコトヲ得ヘシ斯ル軽症ナラサル疾病ハ生命ニ対スル危険ヲ測定スルニ必要ナル事実ナルコト自カラ明ラカナルヲ以テ右量太郎カ室蘭病院ニ入院シテ治療ヲ受ケタル事実ハ改正前ノ商法第四百二十九条ニ所謂重要ナル事実ニ該当スト認定ス第二ニ前示入院ノ事実ハ保険契約者タル控訴人ハ勿論量太郎ニ於テ之レヲ被控訴人ニ告知セサリシコトハ争ナキ事実ナリ又量太郎ニハ心窩部ノ疼痛下痢食慾欠損等ノ自覚症状アリタルコトハ乙第一号証ニヨリテ之レヲ認ムルコトヲ得斯カル病状ヲ自覚スル病人ニシテ前示ノ如ク凡ソ二ケ月間モ入院シテ治療ヲ受ケタルモノハ其ノ疾病カ軽症ニアラスト自覚スルヲ通例トスルヲ以テ反証ナキ限リハ量太郎ニ於テモ又其疼痛カ軽症ナラスト覚知シタリト認ムルヲ得ヘシ……」（東京控判大二・五・二四新聞八八〇・二六）。

【69】「証人浅羽春之ノ証言ニ依レハ竹与ハ大正二年五月中同証人ノ診察ヲ受ケタル際生命ニ危険ヲ及ホスヘキ子宮腟部及尿道部癌腫ヲ患ヒ居タルコト明カニシテ竹与ノ同証人ニ訴フル所ニ依レハ同人ハ明治四十四年七月十日出産シテ二週間ヲ経タル頃ヨリ大正二年五月頃迄引続キ陰部ヨリ時トシテハ稀薄ニシテ水様ナル時トシテハ膿様若クハ血色ヲ帯ヒタル悪臭アル分泌物ヲ洩シ且ツ之カ為メ大正二年五月中右側下腹部ニ時ニ劇痛アルコトヲ自覚シ居タルコト及ヒ同証人ヨリ其子宮病タルコトヲ告ケラレタルコトヲ認ムルヲ得ヘシ之レト竹与カ居村備中国吉備郡大井村ヨリ備前岡山市ニ赴キ診療ヲ受ケタル事実ヲ綜合スレハ同人カ疾病ノ癌腫ナルコトヲ知ラサリシトスルモ少クモ其重キ子宮病ニ罹リ居ルコトヲ知レルモノト謂フヘク従テ其疾病カ生命ニ危険ヲ及ホスヘキモノタルコトヲ知リタルヤ又ハ知ラストスルモ少シク注意ヲ用フレハ知リ得ヘカリシモノトス……」（東京控判大五・五・二三新聞一一三八・一九＝評論五商四三一）。

【70】「右くにカ本件契約締結前ヨリ其後ニ亘リ前示ノ疾病（肺結核腸結核腸膜炎）ニテ医師ノ治療ヲ受ケ居リタルコトハ前示認定ノ如クナルノミナラス当時下腹痛下痢嘔吐等ノ自覚症状アリタル事実ハ証人小山長作ノ証言ニヨリテ疑ナキ故ナレハ縦令医師ヨリ其病名ヲ告ケラレタルコトナシトスルモ其症状カ軽微ニアラスシテ生命ニ危険ヲ及ホスヘキ疾病ナルコトヲ自覚シ居リタルモノナリト認ムルヲ相当トスヘク……」（東京地判大五・一一・二九評論五商七四〇）。

三　重過失による告知義務違反

（一）　事実を知らないことについての重過失　学説中には、告知義務者が重大な過失によって事実の存在を知らないため告知しない場合、及び重大な過失によって告知が不実であることを知らないため不実のことを告げた場合の両場合にも、重過失による告知義務違反が成立すると解するものがある（松本・私法論文集二巻二二二頁、石井・商法(下)昭和二八年四〇頁）。しかしながら、判例は、既述の通り、告知義務者の知らない事実については告知義務がないと解していると認められるのであつて、従つて、判例によれば、告知義務者が事実そのものを知らないときは、たとえそれを知らないについて重過失がある場合でも、告知義務違反が成立する余地はない。

（二）　重要性の不知についての重過失　(1)　事実そのものの不知とは異なり、重要性の不知は、告知義務そのものに影響を及ぼすものではない。すなわち、告知義務者がその重要性を知らない事実又は事項も告知義務の対象となる。そして、告知義務者が重要性を知らないについて重大な過失があるときは、重過失による告知義務違反が成立することとなる。それに対し、告知義務者が重要性を知らないについて重大な過失がないときは、告知義務違反は成立しない。従つて、不告知又は不実告知の原因が告知義務者がその事実又は事項の重要性を知らないことにあるときは、告知義務違反の成否を判定するためには、告知義務者が重要性を知らないについて重過失があるか否かを判断しなければならない。大審院大正六年一〇月二六日判決は、この理を詳細に説いて、次のようにいう（被保険者は、大正四年三月中発病し、胃病との診断を受けたが、同年八月に至り食道癌であることが判明、九月一九日死亡した。案件の生命保険契約はその途中六月一五日に締結されたが、被保険者はその際右の現症を保険者に告知しなかつた、という事案に関するものである）。

【71】　「商法第四百二十九条第一項ニ所謂重要ナル事実トハ危険ノ測定ニ影響ヲ及ホスヘキ事実ニシテ其然ルヤ否ヤハ之ヲ客観的ニ決定スヘク保険契約者又ハ被保険者ノ主観的判断ニ依リテ定マルヘキモノニ非サルハ論ヲ竢タス故ニ苟クモ保険契約締結当時ニ於ケル被保険者ノ現在症カ生命ノ危険ヲ惹起スヘキ素質ヲ有

シ而カモ現ニ其病症カ死ノ原因ト為リタルモノナル以上ハ現在症カ未タ重大ナル症状ヲ呈セサルトキト雖モ之ヲ目シテ同条ノ重要事実ト謂ハサル可ラス唯同条ハ告知義務ノ違背ニ保険契約者又ハ被保険者ノ悪意若クハ重大ナル過失ヲ要求セルヲ以テ被保険者カ現在症ノ生命ノ危険ヲ誘起スヘキ危険性ヲ自覚セス又自覚セサルニ付重大ナル過失ナキ以上ハ告知義務違反トシテ同条ノ不利益ナル結果ヲ被ムルコトナカルヘキノミ然レハ裁判所ニ於テ保険契約締結当時ニ於ケル被保険者ノ現在症ヲ保険者ニ告知セサリシニ付責任アリヤ否ヤヲ判定センニハ其疾病カ生命ノ危険ヲ惹起スヘキ素質ヲ有セルモノナルヤ否ヤ其疾病ハ死ノ原因トナリタルヤ否ヤ其疾病カ危険ノ症状ニ陥ルヘキ尋常一様ノ病症ニ非サルコトヲ自覚シタルヤ否ヤ自覚セサルトシテ自覚セサルニ重大ナル過失アリタルヤ否ヤヲ判断セサルヘカラス今本件ニ付キ原判示ヲ按スルニ原院ハ前段ニ於テ被保険者花吉吾吉カ大正四年三月中発病シ胃病ノ処方ヲ与ヘラレシモ同年八月中ニ至リ始メテ食道癌ニ罹リ居ルコトヲ知リタル旨認定シ其後段ニ於テ右事実ヨリ推究シテ吾吉ハ本件保険契約締結ノ当時未タ生命ノ危険ヲ測定スルニ重要ナル関係ヲ有スル重病ニ罹リ居リシ事ヲ自覚セス且未タ容易ニ之ヲ自覚シ得ヘキ症状ニモアラサリシモノト認定シタルニ徴スレハ原院ハ吾吉ニ於テ保険契約締結当時食道癌ノ重症ニ罹リ居ルコトヲ自覚セス又自覚セサルニ付キ重大ナル過失ナカリシコトヲ判定シタルニ止マリ其当時吾吉ノ病症カ危険性ヲ帯ヒタル事実少クトモ当時同人カ自覚セル胃病カ尋常一様ノ胃病ニ非サルコトヲ自覚セルヤ否ヤ又其自覚ナキニ付重大ナル過失ナカリシヤ否ヤニ付キ毫モ判定スル所ナシ原判決認定ニ係ル吾吉カ大正四年三月中発病シテヨリ八月初旬食道癌ナルコトヲ告ケラレタル時ニ至ル経過事実ニ依レハ同人ハ保険契約締結当時罹リ居レル疾病カ普通一時的胃ノ疾患ニ非サルコトヲ知リ居リシモノノ如キ疑アリト雖モ此点ニ付キ原院ハ明白ナル判断ヲ下ササルヲ以テ当院ニ於テ判決ヲ為スニ由ナシ之ヲ要スルニ原判決ハ審理ヲ悉ササル瑕瑾アリ此点ニ於テ破毀ヲ免レサルヲ以テ他ノ上告論旨ニ対スル説明ヲ省略シ本件上告ヲ理由アリトシ民事訴訟法第四百四十七条第一項第四百四十八条第一項ニ依リ主文ノ如ク判決セリ」（破棄差戻）（大判大六・一〇・二六民録二三・一六一二。判批、竹田・京法一三・六八二、松本・私法論文集三巻五四二頁。【11】と同一判決）。

被保険者は、自分の病気が食道癌であることは知らない。従つて、食道癌という病名そのものは告知しなくともよい。しかし、被保険者の既往症・現症については、被保険者が自覚した症状そのものが重要事実たりうるのであつて、本件被保険者が契約締結の当時自覚していた胃部の異状は重要事実である。被保険者はこれを告知しなかつたのであるから、告知義務違反の客観的要件は満たされる。そこで、つぎに告知義務違反の主観的要件の点について考えると、本件では、被保険者が自覚している胃部の異状が重要事実なのであつて、この事実そのものは被保険者が知つていることである。しかし、これで直ちに告知義務違反の主観的要件が満たされるわけではなく、そのためには、更に被保険者がその事実の重要性を知つていること、あるいはその重要性を知らないについて被保険者に重過失があることが必要である。本判決で、大審院はこのようなことを述べているといえる。右に引用した判決理由中の「同条は告知義務の違背に保険契約者又は被保険者の悪意若しくは重大なる過失を要求せるをもつて、被保険者が現在症の生命の危険を誘起すべき危険性を自覚せず、また自覚せざるに付き重大なる過失なき以上は、告知義務違反として同条の不利益なる結果を被むることなかるべきのみ」という部分、また、告知義務違反の有無を判定するについては、なかんずく、「その疾病が危険の症状に陥るべき尋常一様の病症に非ざることを自覚したるや否や、自覚せざるとして自覚せざるに重大なる過失ありたるや否やを判断せざるべからず」という部分、さらに、被保険者は、「保険契約当時罹り居れる疾病が普通一時的胃の疾患に非ざることを知り居りしものの如き疑ありと雖も此点に付き原院は明白なる判断を下さざるをもつて当院において判決を為すに由なし」という部分に、特に注意しなければならない。

以上述べたところに対し、判例の中には、告知義務違反の成立については、重要性の知不知は問題とならない――すなわち、告知義務者が事実・事項の重要性を知らずこれを知らないにつき重過失がないときでも、告知義務違反は成立する――とするかのような言い方をしているものがある。例えば、大正七年一一月八日の大審院判決（民録二四・二一五三）がそれである。まず事案と判決理由を紹介し、ついでその意義を検討することとしよう。

この判決の事案では、被保険者は気管支喘息の現症を告知せず、これが告知義務違反になるかどうかが問題となっている。原審は、告知義務違反の成立を認めたもののようである。保険金受取人側が上告した。上告理由は、なかんずく、被保険者は気管支喘息の重要性を知らず、またこれを知らないにつき重過失がないから、告知義務違反は成立しないと主張して、次のように説く。

「原判決ハ保険契約者兼被保険者タル生川国太郎カ本件契約締結ニ当リ生命ノ危険ヲ測定スルニ付重要ノ関係アル喘息ノ既往症ヲ悪意若シ然ラストスルモ尠クトモ其重大ナル過失ニヨリ被上告会社ニ告知セス告知義務ニ違背シタルヲ以テ被上告会社ハ約款又ハ商法ノ規定ニ従ヒ本件契約ヲ解除スルコトヲ得ル旨判示セリ然レトモ上告人ハ原審ニ於テ右生川国太郎カ曽テ喘息病ニ罹リタルコトアリ且ツ之レヲ告知セサリシトスルモ其不告知ニ付キ悪意又ハ重大ナル過失ナシ蓋シ商法又ハ約款ニ所謂悪意トハ其事項カ生命ノ危険ヲ測定スルニ付キ重大ナル関係アル事項タルコトヲ知リテ之ヲ告ケサルコトヲ意味スルモノニシテ仮リニ自己ノ罹リタル疾病カ喘息ナルコトヲ知リタリシトスルモ其事項カ重要ナル事項タルコトヲ知ラサリシモノトセハ悪意アルニアラス而シテ喘息病ノ如キハ普通世人ハ之レヲ軽視スルヲ常トスルカ故ニ之ヲ告知セサリシトスルモ直チニ重大ナル過

失アリト云フコトヲ得サル旨ヲ主張シ且ツ第二号証鑑定書中『喘息ハ元来世間ニ不尠疾病ニシテ（中略）中間往往軽視スルノ傾向アルニ比シ云々』トノ一節ヲ利益ニ援用シテ此点ノ立証ニ供セルニ拘ハラス原判決ニ於テ此主張竝ニ該証拠ニ付キ何等説示スルトコロナク漫然被上告会社ニ解除権ヲ認メタルハ理由不備ノ違法アリテ破毀ヲ免レスト信ス」

大審院は、上告を棄却した。判決理由はつぎの通りである。

【72】「然レトモ商法第四百二十九条ニ於テ保険契約者若クハ被保険者ノ告知スヘキ事実カ重要ナルヤ否ヤハ客観的観察ニヨリ決定スヘキモノニシテ是等ノ者ノ主観的判断ニ依ルヘキモノニアラス苟クモ被保険者ノ現在症ニシテ性質上生命ノ危険ヲ惹起スルニ足ルヘキモノナル以上ハ保険契約者又ハ被保険者ニ於テ斯ル重要ナル性質ヲ有スル病症タルコトヲ覚知セサルモ其自覚セル既往症状ヲ告知セサルニ於テハ少クトモ其不告知ニ重大ナル過失アリトシテ同条ノ適用ヲ免ルヘキモノニ非ス本件ニ於テ原院ハ被保険者生川国太郎カ人ノ生命ノ危険ニ重大ナル関係ヲ有スル気管支喘息病ニ罹リタルコト及ヒ同人ノ本件保険契約当時軽微ナラサル右喘息ノ既往症アルコトヲ自覚シ居リナカラ此事実ヲ被上告会社ニ告知セサリシ事実ヲ認定シタルモノナルコト判文上明白ナルヲ以テ国太郎ノ右不告知ヲ重大ナル過失ニ基クモノト断シタル原判決ハ正当ナリ然ラハ所論上告人ノ主張及其立証ハ自ラ排斥セラレタルモノト謂ハサルヘカラサルヲ以テ本論旨ハ理由ナシ」（大判大七・一一・八民録二四・二一五三。判批、竹田・論叢二・二八三）。

この大審院の判決理由のうち、「いやしくも、被保険者の既往症にして性質上生命の危険を惹起するに足るべきものなる以上は、保険契約者又は被保険者に於て斯る重要なる性質を有する病症たることを覚知せざるも、その覚知せる既往症を告知せざるときは、その不告知に重大なる過失ありとして、商法第四二九条の適用を免かるべきものに非ず」という部分に注意すべきである。判決録ではこの部分が本判決の判決要旨として掲げられているから、この部分だけについて考えよう。ここで述べられていることは、簡単に言うと、「被保険者が重要事実たる既往症を告知しないときは、その重要性を知らなくとも、重過失による告知義務違反が成立する」ということである。「重要性の不知について重過失があるときは」というような限定は加えられていない。従って、これは重要性の不知について重過失がないときでも告知義務違反が成立することを述べたものとも読める。そして上告理由は、本件被保険者には重要性の不知について重過失がないと主張しているのであるから、この判決は、そのような意味――すなわち、重要性の不知につき重過失がなくとも告知義務違反が成立することを述べたもの、という意味――に読むべきであるかのようにも見える。

しかし私は、この判決の事案をみ、かつまたこの問題に関する多数の判例の態度にかえりみるときは、この判決を右のような意味に読むのは実は適当でないと思う。判決理由中にも書かれているように、原判決は、被保険者が「軽微ならざる」喘息の既往症あることを自覚していた、という認定をしているのである。この大審院判決は、むしろ、被保険者の既往症であって「性質上生命の危険を惹起するに足るべきもの」にあっては、告知義務者がその重要性を知らないとすれば、通常それについて重過失があると認められる、という推定、あるいは少なくとも、本件告知義務者が重要性を知らないとすれば、それについて重過失がある、という推定を暗黙のうちにしているものと考うべきではないかと思う。本判決は、実はかような推定をしているのだけれども、それが文章の上に明示的に表示されず裏面にかくされている結果として、重要性の不知に重過失がなくとも告知義務違反が成立するとするかのごとき表現になつてしまつただけであつて、基本的な理論としては、やはり前掲の大審院判決【71】と同様、重要性の不知に重過失がないときは告知義務違反は成立しないという理論によつているものと考うべきではないかと思う。

なお、これと同様の批評を加えうるものとして、つぎの判決がある。

【73】　被保険者がその子宮疾患の既往症を告知しなかつたという事実に関するものである。原審は、告知義務違反の成立を肯定したもようである。保険金受取人側は、大正六年一〇月二六日の大審院判決【71】を引用し、本件被保険者は病気の重要性を知らず、またこれを知らないについて重過失がないから、告知義務違反は成立しないと主張して、上告した。大審院は上告を拒けてつぎのようにいう。

「然レトモ商法第四百二十九条ニ於テ保険契約者又ハ被保険者ノ告知スヘキ事項カ重要ナリヤ否ハ客観的観察ニヨリ決定スヘキモノニシテ是等ノモノノ主観的判断ニヨルヘキモノニアラス被保険者ノ既往症ニシテ其性質上生命ノ危険ヲ惹起スルニ足ルヘキモノナル以上被保険者又ハ保険契約者ニ於テ斯ル重要ナル性質ヲ有スル病症ナルコトヲ自覚セサルモ其自覚セル既往症状ヲ告知セサルトキハ其不告知ニ重大ナル過失アリト為スヘキコトハ当審ノ判例トスルトコロニシテ（大正七年（オ）第八五八号――民録二四・二一五三――参照）論旨引用ノ判例モ亦其趣旨ヲ異ニセス本件ニ於テ原院ノ確定シタルトコロニ依レハ被保険者（当時五七歳）ハ昭和三年四月二十日頃ヨリ閉経期以後ノ子宮出血ヲ見医師佐久間佳誠ノ治療ヲ受ケ居リタルカ同年五月二六日頃ニ至ル迄出血ヲ持続シ同月二十八日内診ヲ受ケタルトコロ子宮ヤヤ増大シ居リ多少ノ圧痛ヲ訴ヘ居リ同人ハ昭和三年四月頃ニ於テ既ニ悪性ノ子宮筋腫又ハ悪性腫瘍ニ罹リタルモノナリ然ラハ同年八月十八日本件保険契約ノ締結ニ際シ被保険者カ最近ニ於テ自ラ体験シタル以上ノ症状ヲ被上告人ニ告知セサリシハ故意又ハ少クトモ重大ナル過失ニ因ルモノナルコト明白ナレハ原判決ハ正当ニシテ論旨ハ商法第四百二十九条ノ解釈ニ付キ右ト異ナル見解ヲ採ツテ原判決ヲ批難スルモノニシテ理由ナシ」（大判昭九・一〇・五新聞三七五七・一四、【36】と同一判決）。

(2)　前にも述べたように、保険者が書面で告知を求めた重要事項については、告知義務者はその重要性を知つたものと推定するのが適当であると私は考える。もつとも、保険者がある事項について告知を求めた場合において、告知義務者が自己の知つているある具体的事実がこれに該当しないと信じたときは、重要性についての悪意はないとしなければならない。しかしながら、前段で述べたところによれば、告知義務者が事実・事項の重要性を知らない場合でも、これを知らないについて重過失があるときは、重過失による告知義務違反が成立しうるのであるから、告知義務者においてある具体的事実が質問された事項に該当しないと信じた場合でも、そう信ずるについて重大な過失があるときは、やはり告知義務違反が成立する。これに対し、そのように信ずるについて重過失がないときは、告知義務違反は成立しない。保険者の質問が一般的包括的抽象的であるときは、重過失の存在を認めることは比較的困難であり、質問が個別的具体的であるときは、重過失の存在を認めることは比較的容易であろうと考えられる。

昭和二五年四月二二日の東京地方裁判所判決（下級民集一・五九四）は、被保険者がその既往症たる婦人科疾患を告知しなかつた事例につき、保険医が具体的に症状の有無を指摘発問してその告知を求めることをしなかつたことをもつて、悪意・重過失の不存在を認定する一論拠としている。その判決理由はつぎのとおりである。

【74】　「亡山口やす（保険契約者兼被保険者）と被告（保険会社）との間に昭和二十三年二月二十九日原告主張の如き生命保険契約が締結されたこと及び亡山口やすが同年九月四日子宮癌に因つて死亡したことは

当事者間に争いがない。而して先づ亡山口やすに保険契約を締結するに当つて被告主張の如き既往症があつたか否かに付按ずるに本件契約締結前たる昭和二十二年八月二十六日頃右やすが左下腹部索引痛白帯下を訴えて訴外村上正夫医師の診察を受けた事実及び右病名は『左側附属器炎膣部糜爛』であり、最初は約二十日間治療を受け自覚症状軽度となつたが未だ全快せざるうち同年九月十九日大洪水の為治療を中止し、再び同年十一月二十日より翌年二月に亘り時折り洗滌治療をして居た事実は成立に争いなき乙第三号証及び証人村上正夫の証言に依つて認めることができる。

而して証人村山正夫大島利三の各証言に依れば其の後昭和二十三年三月右山口やすが村山医師の診察を受けた際に不正性器出血があり之は癌性のものではないかとの疑念が生じたので、組織的な診察の為め村山医師の言に依つて同年四月六日日本医大婦人科大島利三医師の診察を受け初めて子宮癌との診断を下され、四月九日手術をしたが既に其の時病状は子宮癌の第三期まで進行して居て手術後も経過は良好でなく、遂ひに同年九月四日死亡するに至つたものであつて、結果的に見て亡山口やすの死亡原因であつた子宮癌は昭和二十三年四月手術の時より半年位前に既に発病して居たものであることが認められ、従つて本件契約の際には子宮癌は其の子宮の深部に於て発病して居たものと推認することができる。尤も前記既往症と死亡原因であつた子宮癌との間の因果関係或は右既往症に基いて子宮癌を推断することの正当性は前記各証人によつて否定されて居るけれども、少くとも右既往症が被告の保険医に告げられたならば被告は本件契約を為すに付更に慎重な考慮を払い或は其の締結を差控えたかも知れない類のものである事は之を推知するに難くない。従つて右既往症は保険者たる被告に対して告げらるべき重要事項であると言わねばならぬ。果して然らば右重要事項を亡山口やすが被告に告知しなかつたこと（本件に於て右事項が告げられなかつた事は明である）について悪意又は重大なる過失があつたか否かを按ずるに右亡山口やすが前記婦人科疾患の症状を自覚して居た事は言う迄もない所であるが、之と子宮癌との関係は前記の如く否定されるのであるから同人に於て子宮癌に対する懸念の如きは当時に於て全然之を有しなかつたと解する事が出来る。而して右の如き婦人科疾患は夫れ自身としては普通決して重大な疾患であるとは考えず、寧ろ軽微な症状として之を軽視するのが一般であるのみならず、婦人に於ては特に其の本態的な羞恥心より之を秘さんとする傾向を有する事は否み難い。従つて右亡山口やすが本件契約締結に際して前記既往症を告げなかつた一事によつて直ちに悪意又は重大な過失を肯定する事は妥当でなく之を肯定せんが為には其の前提として保険医に於て具体的に症状の有無を指摘発問して其の告知を促すべきものと解すのが相当である。

然るに本件に於ては右の如き手続を尽した証拠は存在しないのであるから被告主張の如き告知義務違反は之を肯定するに由なく、従つて此の点を理由とする被告の本件契約解除は失当と謂わざるを得ない。……」（東京地判昭和二五・四・二二下級民集一・五九四。判批、東京大学商法研究会・商事判例研究昭和二五年度一〇事件（平出））。

本判決は、右に見られるように、保険医のする口頭の質問に法律上の意味を持たせるという態度をとつているが、これは疑問であると思う。裁判所としては、これによつて加入者側に有利な結論を導き得ると考えたのかもしれない。そして本件の場合は、一応さような結果を導くのに成功したかもしれない。しかし私は、この理論は実は加入者側に不利な結果をもたらすものではないかと思う。けだし、保険者が口頭でかくかくの質問をしたという主張をした場合について考えると、加入者側としてはこれを争う手段を有しないことが少なくないと思われるからである。

このことは、特に保険契約者が自己を被保険者とする死亡保険契約を締結した場合を考えれば明らかである。保険契約者（兼被保険者）は自ら保険医の所に行つて告知をするであろう。その際には、保険医の使用人あるいは保険会社の外務員は同席しているかもしれないが、加入者側の者としては保険契約者（兼被保険者）ただ一人ということが少なくないと思われる。また、保険者としては保険契約者（兼被保険者）に同伴して来た者があるときは、これに座をはずさせ、告知は保険契約者（兼被保険者）一人の状態でするという事態を積極的に作り出すことも可能である。この被保険者が死亡して後に告知義務違反の有無が争われるならば、告知の際に同席した加入者側の者は、もはや誰もいないわけである。

要するに、重要性の知、又はその不知についての重過失の有無の判断に際して保険者の質問に意味をもたせるのはよいが、それは口頭の質問についてではなく、書面による質問についてでなければならぬのではないかと考える（なお、本判決については、類似の事案に関する大判昭九・一〇・五新聞三七五七・一四【73】、大判大七・三・四民録二四・三二三【12】、大判大九・一・二三民録二六・六五【76】参照）。

(3)　つぎに、重要性の不知についての重過失の有無の認定の具体例を掲げておく。

（イ）　重要性の不知に重過失があることを認めた例

【75】　「案ずるに保険契約締結の当時保険契約者又は被保険者に於て保険者に告知することを要する重要なる事実なりや否やは客観的標準に依り之を決すべきものにして此等の者の主観的見解に依るべき者にあらず、故に苟くも被保険者の既往症にして性質上生命の危険を惹起するに足るべきものなる以上は保険契約者又は被保険者に於て斯くの如き重要なる性質を有する病症たることを覚知せざるも其自覚せる既往症状に依り容易に尋常一様の疾患にあらざることを知り得べきに拘はらず之を告知せざるときは其不告知に付き少くとも重大なる過失あるものと解すべきものなることは本院従来の判例の示す所なり、本件に付き原裁判所の確定する所に依れば被保険者土倉伊三郎は明治四十五年以来引続き数年間慢性の胃疾患に罹り大正三四年頃既に胃痛の為め『モルヒネ』注射を為したることあるのみならず大正六年四月十三日にも亦一回の『モルヒネ』注射を為し居るものにして本件保険契約締結当時（大正六年四月三〇日）に於ては胃潰瘍（被保険者が

胃潰瘍にて死亡したることは当事者間に争なし）の前駆症たる右慢性胃加答児は其病勢昂進し険悪なる経過に移り居りたるものとす、尚ほ被保険者土倉伊三郎は前記既往症を以て胃潰瘍の前駆症たるが如き重患なりとは思惟し居らざりしも右軽微ならざる既往症は全部同人の覚知し居りたる事実なりとす、然れば原裁判所は被保険者土倉伊三郎に於て仮令前記の如き既往症を以て胃潰瘍の前駆症なることを知らざりしとするも該既往症に依り同人の覚知せる胃病が尋常一様の疾患にあらざることを自覚せざりしや否や又自覚せざりしとするも自覚せざるに付重大なる過失なきや否やを審査し以て右既往症状を保険者たる上告人に告知せざりしにつき悪意又は重大なる過失ありたるや否やを決せざるべからざるに、単に『伊三郎は本件契約当時に於ては既往症たる前記胃部の疾患を以て胃潰瘍の前駆症たるが如き重患なりとは思惟し居らざりしものと認むるを以て妥当とす故に同人が本件契約当時右疾患に付き控訴会社に対し何等の告知を為さざりしに付ては何等悪意又は重大なる過失ありたるものと謂ふことを得ざるものにして云々』とのみ判示したるは理由不備の不法あるものと謂はざるを得ず故に本論旨は其理由あり原判決は全部破毀を免れざるものとす」（大判大八・六・二七新聞一六〇八・一六、【14】と同一判決）。

【76】　被保険者は、保険契約締結（大正四年一月三〇日）の約三ヶ月前すでに子宮膣部癌腫にかかつており、その病勢は「もはや手術をなすも何等効験なきまでに」進行していた。しかるに、これが保険者に告知されないまま保険契約の申込がなされた。また、被保険者は、保険契約成立の時期の直前、大正四年一月二八日に腹満下肢牽引痛等を感じて医師の診査を受けたのに、これも保険者に告知しなかつた。原審は、腹満下肢牽引痛の不告知につき告知義務違反の成立を認めたもののようである。原審が子宮膣部癌腫そのものの不告知についても告知義務違反の成立を認めたのかどうかは明らかでないが、上告理由は――従つて大審院も――この点についての被保険者の悪意・重過失は問題にしていない。保険金受取人側が上告した。上告理由は、被保険者は腹満下肢牽引痛の重要性を知らず、かつこれを知らないについて重過失もないから、告知義務違反は成立しない、と主張する。大審院は、つぎのように説いて上告を棄却した。

「然レトモ被保険者戸田ヲカハ既ニ重キ子宮病ニ罹レルコトヲ自覚セルモノナレハ腹満下肢牽引痛ハ其病ニ起因スル変徴ニ非サルヤニ想到シ之ヲ軽症視スヘキニ非ス従テ之ヲ被上告会社ニ告知セサリシハ之ヲ軽症ナリト信シタルニ由ルトスルモ重大ナル過失ニ因ル不告知タルヲ免レサルハ当然言フヲ竢タサル所ナレハ原判決カ特ニ其不告知カ故意又ハ重大ナル過失ニ因ルコトヲ明言スル所ナキモ理由不備ナリト謂フヘカラス」（大判大九・一一・二三民録二六・六五。判批、竹田・論叢六・三九七）。

（ロ）　重要性の不知に重過失がないとした例

【77】　保険契約締結の際、被保険者がその肋膜肺炎の既往症を告知しなかつたという事案に関するものである。原審は、つぎのように述べて告知義務違反の成立を肯定し、これを理由とする保険会社の契約の解除を有効と認めた。

「原審並当審証人井上徳次郎の各証言に依れば、前記小口安平（被保険者）は大正九年三月中肋膜肺炎に罹り医師井上徳次郎の治療を受けたることありて、当時同人が該疾患を認識し居りたる事実を認め得べく、被控訴人等の提出援用に係る証拠方法によりては右認定を覆すに足らず。然り而して被保険者が肋膜肺炎に罹りたる事実は生命の危険を測定するに付重要なる関係を有する事項なるを以て生命保険契約を締結するに当りては保険契約者又は被保険者において保険者に之を告知すべき義務あるものとす。然るに前記訴外人は本件生命保険契約を締結するに当り控訴会社に対し右既往症を告知せざりしことは被控訴人等の弁論の全趣旨に徴して明確なるを以て同訴外人は本件契約を締結するに当り悪意又は重大なる過失により右事実を控訴会社に告知せざりしものと判定す」

保険金受取人側が上告したのに対し、大審院はつぎの理由で破棄差戻の判決をした。

「按ずるに、第一審並第二審証人井上徳次郎の証言に依れば安平は唯一回証人方に赴き其診察を受け『肺が悪い位の事』を告げられたるのみに止まり、其の後更に証人方に来りたることなく、証人も亦同人は既に全快したるものと信じ居たりと謂ふに在りて、単に右証拠に依りては安平の病症は当時甚だ軽微のものにして、安平の之に対する認識又極めて漫然たりしものと認むるの外なく、其の程度に於て安平が同人の生命の危険を測定すべき重要なる事実の認識あり若は之を認識せざりしことに付き過失ありたるものと即断し難きものと謂はざるを得ず。然るに原判決は単に右証言のみにより安平は保険契約の締結に当り重要なる事実と目すべき既往症を認識し居たるものと認め本件契約の締結に当り之を被上告会社に告知せざりしは安平の悪意又は重大なる過失に出でたるものと認定したるは、畢竟証拠の判断を誤りたる不法あるものと謂ふべく、原判決は此の点に於て破毀を免れざるものなり」（大判大一五・七・七新聞二五八五・六）。

【78】　被保険者がその胃の病気を告知しなかつた事件である。保険契約締結の日は昭和一〇年九月二三日であるが、被保険者は「昭和六年以来自覚症状として食後における腹部膨満感、圧重感、空腹時の心窩部疼痛、全身倦怠、食慾減退あり、壺井・星合両医師、名古屋市森田病院に於て診察を受け治療に努め、ことに昭和一〇年五月には星合医師の診察の結果多少の貧血を認め潜在出血の疑いありたるをもつて同医師はこの時すでに胃癌の疑いを持ち、食餌療法に付き指示を与え、加うるに便に血が混じ来るやも知れずされば他の病気に転回する虞あるにより一度名古屋市に於て然るべき専門医の診察を受くるように注意を与え更に昭和十年八月十九日星合医師は診察検便の結果潜血反応を認め幽門潰瘍と診断し食事養生の注意を与へた」。被保険者は、契約締結の際、現症及び既往症について何等告知するところがなかつた。これが告知義務違反になるかどうかが問題となつたのである。なお、被保険者は、本件保険契約締結より二ケ月余り後胃癌で死亡している。原審は、悪意・重過失なしとして告知義務違反の成立を否定した。保険会社側が上告したが、大審はつぎの理由で上告を棄却した。

「原審採用ノ証拠ニ徴スレハ訴外秋田弥三郎（被保険者兼保険契約者）ハ昭和六年八月頃ヨリ胃ヲ患ヒ原判示ノ如キ経過ヲ辿リテ病勢漸次悪化シタル事実ヲ認ムルニ足リ之ニ依レハ弥三郎ハ本件生命保険契約締結数ケ月前ヨリ胃癌ノ前駆症状タル慢性胃酸過多症又ハ軽度ノ胃潰瘍ニ罹リ居タルモノト認ムルヲ相当トシ斯ル

疾病ハ生命ノ危険測定ニ重定ナル〔「重要ナル」の誤植であろう〕事項ト解スヘキモノナルカ故ニ右保険契約締結ニ際シテハ契約者ニシテ被保険者タル弥三郎ヨリ上告会社ニ対シ之ヲ告知スルノ義務アルコト勿論ナリトス然ルニ弥三郎ヨリ上告会社ニ対シ之カ告知ヲ為シタリトノ事実ヲ認ムルニ足ル証拠存セサルトコロ原審ハ此ノ点ニ付挙示ノ証拠ヲ綜合シテ弥三郎ハ当時自己ノ胃酸ニ罹レルコトヲ自覚シ居タルモ極メテ軽微ナル普通ノ胃弱程度ノモノト思惟シ居タルニ過キスシテ前記ノ如キ生命ノ危険ヲ測定スヘキ重要ナル既往並現在症ヲ有スルコトノ自覚認識ハ未タ之ヲ有セス又其ノ之ヲ有セサルニ付重大ナル過失ナカリシモノト認定シ次テ右不告知ニ付弥三郎ニ悪意又ハ重大ナル過失ナカリシモノト判定シタルコト原判文上明瞭ニシテ右証拠ニ依レハ斯ル認定ヲナシ得サルニアラサルト同時ニ必シモ右証拠ニ依リ所論ノ如キ事実ヲ認定セサルヘカラサルモノニアラサレハ原審カ右弥三郎ニ告知義務違反ノ行為アリタリトノ上告人ノ抗弁ヲ排斥シタレハトテ毫モ不当ナリト做スヲ得ス……」（大判昭一五・六・二二　新聞四五九七・一一）。

【79】　「本件保険契約締結前に於ては保険契約者にして被保険者たる宇都宮馬太郎は昭和十三年三月三十日より同年五月十八九日頃迄の間に七、八回に亘り歯科医師久保田博之の診察を受け居りたるが同医師は馬太郎の疾患は単純性菌膜炎亜急性歯根炎なりと診定したる上鎮痛処置在上顎大臼歯一本の抜歯及其の後の洗滌他の医師より受けたる手術創の洗滌及『ガーゼ』の取替等の治療を施したるに過ぎざるのみならず其の間同月十日日本赤十字社松山支部病院医師堀匡一の診察を受けたることあるも同医師は判示の如く癌の疑ありと診断しながら何等創面の治療を為さざりしこと及上告会社の診査医師芳賀乾一郎が馬太郎の診査に際り同人の患部の治療の跡を其の申出に従い懐中電燈にて照射し之を抑へ見たることとは原判決挙示の各証拠に依り原審の認定したる所にして而も堀医師が右診察の際未だ最後的の判定を下すを得ず従つて其の病名の如きも患者に告ぐるに至らざりしものなること及右芳賀診査医が其診査に際り馬太郎の口腔内に重き疾患ありたるが如きことは之を発見するに至らざりしものなること等は原判文を通読し且之に引用の証拠に対照するときは容易に窺知し得る所なり然らば斯の如き情況の下に於ては虫歯の疼痛に苦しみ其の抜歯等に因る治療を受

け之が治療を信じ居りたる馬太郎としては右病状は久保田医師の診断の如き右疾患に基くに外ならざるものと思惟し居りたるものなる事情は之を推測し得られざるに非ざるのみならず堀医師に依りては何等の治療を受けず又病名をも告げられざりしものなれば縦令診察中偶々同医師より『性の悪いものの疑あり云々』と話されたることありとするも此の一事に依り馬太郎に於て口腔癌腫と云ふが如き重き疾病に罹り居たるものなることを自覚せざるに付重大なる過失あるものと断ぜざるべからざるものに非ず尤も原判決に於ける他の判示に依れば本件の保険契約の締結に於ては馬太郎は疾患は益々亢進し癌腫の周囲の発赤腫張甚だしく膿様汚苔の附着増大し潰瘍面次第に拡大し病状悪化し之が為遂に昭和十四年一月一日死亡するに至りたる事実ありと雖斯る事後に於ける病状の悪化の如きは必ずしも前叙の判定本件保険契約の当時馬太郎が口腔癌なりしことを自覚し居りたることを認むるに足らずと為すの碍となるものと断じ難し又所論引用の当院判例（大正四年六月二十六日大審院判決民録二一輯一〇四四頁以下大正七年三月四日同上民録二四輯三三三頁以下）は本件に適切ならざれば原審が原判示の如き判断の下に被上告人の請求を容認したるは不当に非ず」（大判昭一七・六・一二法学一二巻二五四頁）。

【80】「永田碩次郎カ本件保険契約締結ノ数ケ月前ヨリ肺尖加答児ニ罹リ医療ヲ受ケ居タルコト明瞭ナリト雖モ碩次郎カ其疾患ノ肺尖加答児ナルコトヲ知リ居リタルコト並ニ之ヲ知ラサルニツキ過失アリシコト之ヲ認メ難シ尤モ右証拠ニヨレハ碩次郎ハ其病症ヲ慢性ノ気管支加答児トシテ認識シ居タルコトハ認メ得ヘキモ慢性ノ気管支加答児カ生命ニ関スル危険ヲ測定シ得ヘキ疾患ナルコトハ寧ロ一般普通人ニ於テ予想セサルコト多キトコロナレハ従テ碩次郎ニ於テモ亦其疾患ヲ自己ノ生命ニ危険ナリトハ思惟セサリシモノト推定スヘク而シテカク思惟セサリシコトヲ以テ碩次郎ノ重大ナル過失ナリトモ解シ難キヲ以テ仮令碩次郎カ本件保険契約締結当時被告会社ニ対シ其疾患ヲ告ケサレハトテ之ヲ以テ碩次郎カ悪意又ハ重大ナル過失ニヨリ重要ナル事実ヲ告ケス又ハ重要ナル事項ニツキ不実ヲ告ケタルモノト認ムルヲ得ス」（東京地判大二・一二・二三新聞九三九・二三）。

（三）　告知しないことを知らないについての重過失　告知義務者は事実を知り、あるいは告知が不実であることを知り、かつその重要性も知っているが、しかし告知をしないこと自体又は不実の告知をすること自体は知らない、という場合があると考えられる。例えば、他人がすでに告知をしたと信じて告知をしなかったが、実はその他人は告知をしていなかったというような場合、告知を保険者にあてて発送したが保険者に到達しなかった場合、また他人をして質問表に記入せしめ全部記入済と信じてこれに署名したが、実は記入もれがあったというような場合である。このほか、保険医等から問題の事実は告知するに及ばないと告げられたため、これを信じて告知をしなかった場合、さらに、告知義務者が保険契約締結の際問題の事実をたまたま忘れていたため、告知をしなかった場合（長い時間が経過したため完全に記憶のうちから消え去っていたというのではなく——そのような場合は、告知義務者の知らない事実として告知義務の対象とならないと解すべきであろう——、記憶のうちにはあるのだが、契約締結の際たまたまこれを思い出さなかった場合）なども、同様の性質のものとしてあげうるであろう。かような場合には、悪意による告知義務違反は成立しない。しかし、告知義務者に重過失があるときは、重過失による告知義務違反が成立する。告知義務者に重過失がないときは、告知義務違反は成立しない。

例えば、保険契約者がその子を被保険者として保険契約を締結しようとしたが、その子の実母は戸籍面での母と違うという事情があり、被保険者の血族の健否等の告知は実の母についてすべきか、それとも戸籍面の母についてすべきかよく分からなかったところ、保険会社の診査医が戸籍面に準拠して告知するように教えたため、保険契約者はこれを信じて告知をし、ために実際告知を要する実の母を基準とする血族の健否等の告知をしなかつたというような場合には、不告知につき重過失はなく、告知義務違反は成立しないと解すべきである【81】。

【81】　「保険会社ノ検査医ハ其会社ノ機関ニシテ申込人ノ健康状態ヲ調査スル任務ニ従事スル者ナルヲ以テ（大正五年（オ）第七二五号同年十月二十一日言渡当院第三民事部判決参照）生命保険契約ヲ締結スルニ際シ保険契約者又ハ被保険者カ該検査医ニ危険ノ測定ニ重要ナル事項ヲ告知シタル以上ハ該検査医ニ於テ其事項ト異ナレル事項ヲ告知書ニ記載セシカ為メ保険会社ニ於テ真実ナル事項ヲ知ルコトナクシテ保険契約ヲ締結スルモ保険契約者又ハ被保険者ニ其責ニ帰スヘキ事由存セサレハ保険会社ハ爾後斯ル事情ヲ主張シ契約ヲ解除シ其他保険契約上ノ義務ヲ免カルルコトヲ得サルモノトス本件ニ在リテハ被上告人及ヒ被保険者米吉カ同道ニテ上告会社ノ検査医ノ許ニ到リ被上告人ハ同検査医ニ対シ米吉カ自己ト新貝シナトノ間ニ生レタル子ナルコトヲ告知シタルモ同検査医ハ総テ戸籍面ニ準拠シテ血統上ノ事項ヲ告知書ニ記載セサレハ効力ナキモノト誤信シタル結果真実ノ血統上ノ諸事項ヲ不問ニ付シ不実ナリト知リナカラ戸籍面ニノミ基キ血統上ノ諸事項ノ記載ヲ為シタルコトハ原裁判所ノ確定シタル事実ナリ果シテ然ラハ原裁判所カ所論ニ係ル判示ノ理由ニ依リ上告人ニ敗訴ヲ言渡シタルハ正当ニシテ所論ノ違法ナシ故ニ論旨理由ナシ」（大判大九・一二・二二民録二六・二〇六二。判批、竹田・論叢八・八〇八。原判決は東京控判大九・七・一〇評論九商五六四）。

なお、本件の場合、保険契約者又は被保険者が被保険者の真実の尊属親に関する告知事項を全部保険医に対して告知したのかどうかは、原判決によるも明らかでない。保険医に告知しているのであれば、保険医に対する告知は保険者に対する告知として効力を生ずる、という理論によつて解決することも考えられる。

大正四年六月二六日の大審院判決は、「たとえ告知義務者が保険契約の当時重要の事実を思い浮べざりしとする些少の注意を用いれば之を思い浮べ得たりし場合ならんには、重大なる過失に因りて重要事項を告知せざりしものと為さざるべからざるが故に云々」と述べ、告知義務違反の成立を否定した原判決を破棄している【82】。

【82】「仙三郎（被保険者）ハ保険契約ノ当時重要ナル事実ヲ告知セサリシモノナルヲ以テ仙三郎ニ於テ右脳溢血病ニ罹リタル事実ヲ告ケサルニ付キ悪意又ハ重大ナル過失ナキニ非サルヨリハ商法第四百二十九条所定ノ告知義務ニ違反シタルモノト為ササルヘカラス此点ニ付キ原裁判所ハ単ニ右脳溢血病ハ極メテ軽微ニシテ仙三郎ニ於テハ殆ント念頭ニ置カサリシカ如キ程度ノモノナリトノ事由ニ依リ仙三郎ニ悪意又ハ重大ナル過失ナキ旨判示シタレトモ縦令告知義務者カ保険契約ノ当時重要ノ事実ヲ思ヒ浮ヘサリシトスルモ些少ノ注意ヲ用キハ之ヲ思ヒ浮ヘ得タリシ場合ナランニハ重大ナル過失ニ因リテ重要事実ヲ告知セサリシモノト為ササルヘカラサルカ故ニ重要ノ事実カ念頭ニ在ラサリシトスルモ直チニ以テ重大ナル過失ナシトスヘカラス之ナシトスルニハ必スヤ他ノ事実証拠ニ俟タサルヘカラサルナリ然ルニ原裁判所カ単ニ告知義務者タル仙三郎カ前示ノ如ク重要ノ事実ニ属スル脳溢血症ヲ軽微ノ為メ念頭ニ置カサリシトノ一事ヲ以テ啻ニ悪意ナシトシタルニ止マラス重大ナル過失モ亦ナキモノト判定シタルハ失当ニシテ上告ハ理由アリ」（大判大四・六・二六民録二一・一〇四四。【34】と同一判決）。

ここで「思い浮べざりしとするも」というのは、日本語の通常の用法からすれば「忘れていたとしても」と同義であると考えられるが、前段本文中に摘示した本判決の理論は、それ自体としては極めて正当であると思う。しかし本判決は、被保険者が保険契約締結の三ヵ月前にかかった脳溢血を告知しなかった、という事案に関するものである。そして原審は、脳溢血の「症状は極めて軽微にして患者たる被保険者自身に於て殆ど念頭に置かざりしが如き程度のもの」であつたことを理由として、不告知に悪意・重過失なしとしたのである。およそ三ヵ月前に脳溢血にかかつたことがある者は、これを記憶し、これを意識しているのが通常であろう。原審が本件被保険者はこれを忘れていたという趣旨の認定をした様子はない。しかるときは、原判決を破棄するのに、「思い浮べざりし」云々をもつてするのは、事案にそぐわない理由づけであるという感じを禁ずることをえない。事案の解決としては、むしろ重要性の不知についての重過失があることを理由とすべきではなかつたかと思われる。

なお、これとほぼ同様の批評を加えうるものとしてつぎの判決がある。

【83】　被保険者は、保険契約締結の約一年七ヵ月前より三回にわたつて喀血したことがあるのに、保険契約締結の際、これが保険者に告知せられなかつた。これが告知義務違反になるかどうかが問題である。なお、原審は、被保険者は喀血の当時すでに肺結核症又は肺結核疑似症にかかつていたものと認められる、としている。

原審は、被保険者は「自己の既往症が生命の危険を測定するに重要なる肺結核又はその疑似症たることを毫も知らず且自ら之を認識せざりしは寧ろ当然にして故意あらざるは勿論過失に因りて告知を怠」つたものでもないとし、告知義務違反の成立を否定したもののようである。

保険会社側は、なかんずく次の二点を理由として上告した。第一に、本件のような「短時日中再三多量の喀血を繰返すが如き疾患」は、些少の注意を用いたならば、被保険者においてこれを思い浮かべることができた筈であつて、これを思い浮かべなかつたのは被保険者の重大な過失である（上告人は、前出の【82】の判決を引用している）。第二に、保険契約者（被保険者と別人）について告知義務違反が成立する。保険契約者は被保険者の喀血の事実を知つているのに、これを告知しなかつた。本件のような喀血は肺患者においてこれを見るのを通例とするから、保険契約者は喀血の重要性を知っているはずで、もしこれを知らないとすれば重大な過失がある。

大審院は、上告を理由ありとし、一挙に被上告人・保険金受取人側の保険金支払の請求を棄却する判決をした。

「因て按ずるに告知義務者が保険契約の当時重要の事実を思い浮べざりしとするも些少の注意を用ゆれば之を思い浮べ得べかりし場合ならんには重大なる過失によりて重要事実を告知せざりしものと為すべきことは当院の判例とする所なり（大正四年六月二十六日第三民事部判決）本件に於て原審の確定せる所に依れば保険契約は大正二年十一月二十九日に成立し被保険者大野秋美は是より先き明治四十五年五月三日に於て五勺同月六日に於て三十グラム其後に於て四百グラムを喀血し肺結核又は其疑似症の疾患たりし処大正四年一月七日終に肺結核症の為め死亡したるものなり凡そ肺結核又は肺結核疑似症の如きは其性質上生命の危険を測定するに最も重要なる疾患にして肺患者が斯の如く短日時間に数次多量の喀血を為すことあるは吾人日常の実験則上往々見る所なれば被保険者が其後一時健康体に復したるも本件保険契約締結の際上告会社の保険医の診査を受くるに当り些少の注意を用ゆるに於ては僅かに一年半前なる自己の既往症を思ひ浮べ得べかりし場合なるに右保険医に対し前示既往症に付して何等告知する所なかりしは重大なる過失によりて重要事実を告知せざりしものにして保険契約は原審の認むる特約に依りて無効なりと謂はざる可からず然るに原審が秋美は自己の既往症が生命の危険を測定するに重要なる肺結核又は其疑似症たることを毫も知らず且つ自ら之を認識せざりしは寧ろ当然にして故意あらざるは勿論過失に因りて告知を怠りたるものに非ざる如く判示したるは法則を不当に適用せざる不法あるものにして原判決を破棄し第一審判決を廃棄し被上告人の請求は之を棄却すべきものとす……」（大判大七・四・二七新聞一四二二・二〇）。

（四）　名誉感情又は羞恥心と重過失　　告知すべき事項の中には、人の名誉感情又は羞恥心から、これを他人に告げることがはばかられるようなものがある。そこで、告知義務者の不告知又は不実告知がこのような感情に出ずるものである場合は、故意又は重過失は阻却されるとみるべきか否か、という問題を生ずる。従来の判例は、かような感情には頓着せず、悪意又は重過失の存在を認めて来た（例えば【12】【57】【84】）。従って、従来の判例は、かかる感情は悪意又は重過失を阻却するものではない、という理論を前提としているといえる（ドイツの学説では、Kisch, Handbuch der Privatversicherungsrechts, Bd. 2, 1920, S. 279; Bruck-Möller, Kommentar zum Versicherungsvertragsgesetz, Bd. 1, 1961, §16 Anm. 45 が同様の理論を説く）。戦後の下級審判決に、この感情をもって悪意・重過失の存在を否定する一論拠としたものがあるが【74】、その当否は疑問であると思う。

四　補　論

告知義務違反の主観的要件としての悪意・重過失の意味は、それぞれ以上説明した通りである。しかしながら、告知義務違反の効果の面では、悪意による告知義務違反と重過失による告知義務違反とで異なるところはない。それ故、告知義務違反の成立のためには少なくとも重過失があれば足りるわけであって、一つの具体的な告知義務違反が、悪意によるものか重過失によるものかを細かく区別することは、あまり実益がない。判例の中には、告知義務違反の存在を認定するに際して、悪意と重過失とを厳密に区別することなく、またいかなる点に重過失があるかを具体的に説明することなく、「悪意又は重大な過失があるものと認める」とか、また単に「少なくとも重大な過失があるものと認める」とかいうような言い方をしているものが少なくない。そのような判決の例を若干つぎにかかげておこう（なお、【76】【16】参照）。また判例中には、告知義務違反の客観的要件が備わっているときは告知義務者に悪意・

重過失があるという推定をしているものも仲々に多いので、そのような判決の例もあわせ掲げておくこととする（前出【12】【15】も参照のこと）。

【84】「原審挙示の証拠によれば本件保険契約締結前保険契約者兼被保険者安福助一は訴外纐纈医師に対し言語障害歩行稍不都合右手軽度の麻痺感痛感鈍麻食物嚥下稍困難等の自覚症状を訴へて診察を受け同医師より愛知県大学病院にて診察を受くべき旨の勧告を受けたること右勧告に従ひ同病院に赴き酒井医師の診察を受け血液の検査を受けたること尚其の以前訴外内藤医師の診察を受け脳黴毒なりと診断され其の事実は上記酒井医師の診察を受けたる際助一に附添ひ居りたる同人の妻くまより同医師に対し詳細語りたる事実等を認むるに足る斯る事実の存する以上通常其の病症の尋常一般のものに非ざることを自覚すべきは当然なるが故に之に付き何等告知なかりしとせば右助一は故意若は少くとも重大なる過失に基き生命の危険を測定するに付重要なる事項を告知せざりしものと為すに妨げなし」（大判昭一〇・七・一二法学五巻三五三頁、【67】と同一判決）。

【85】「被保険者加藤サキハ本件保険契約締結前数ケ月頃ヨリ肺尖加答児ニ罹リ居リテ契約者タル工藤専之助モ之ヲ知レル事実ヲ認ムルコトヲ得ヘク（中略）而シテ専之助カ保険契約締結ノ際此事実ヲ控訴人ニ告ケサリシコトハ被控訴人ノ争ハサル所ニシテ肺尖加答児ニ罹リタル事実ハ保険ニ於ケル危険ヲ測定スルニ付キ重要ナル事実ナルヲ以テ本件保険契約者専之助ハ保険契約ノ当時悪意ヲ以テ重要ナル事実ヲ告ケサリシモノト認ムルヲ相当トス」（東京控判大三・四・二三新聞九五五・二三）。

【86】「本件保険契約者兼被保険者小枝指仙四郎ノ前示神経衰弱症ノ如キハ三ケ月ニ亘リ医師ノ治療ヲ受ケタルモノニシテ単ナル一時的ノ睡眠不足若クハ過労トノミ軽視スルヲ得ス本人並ニ家族カ仙四郎ノ前記病状ヲ以テ神経衰弱ト自覚セス又重要ナル告知事項タル認識ナカリシトスルモ已ニ三ケ月ノ長キニ亘リ心身ノ違和（主トシテ睡眠障害）ヲ訴ヘテ医師ノ診療ヲ受ケ居リタル場合其ノ診療ノ直後ニ於テ保険ノ診査ヲ受ケタルニ際シテハ右長期診療ノ事実自体ハ之レヲ診査医ニ告知スルヲ当然トスヘク其ノ病名ノ告知又ハ病名ヲ

知リ得タリヤ否ヤノ如キハ本件ノ場合寧ロ枝葉ノ問題ナルコト明カナルニ仙四郎カ客観的ニハ左マテ重要トハ認メサル数年前ノ『ロイマチス』罹患ノ事実ハ之レヲ告ケナカラ右事実ノミハ之ヲ告ケサリシト云フカ如キ其ノ不告知ニ付重大ナル過失アルモノト謂ハサルヲ得ス」（東京控判昭一〇・一〇・一二新聞三九三〇・一三‖評論二四商五七四‖新報四一九・一七）。

【87】「本件保険契約者ニシテ且被保険者タリシ徳本七代吉ハ本訴生命保険契約ノ当時被告会社ニ対シ単ニ時トシテハ感冒ニ罹リタルコトアルモ著シキ疾患ニ罹リタルコトナシト告知シタルニ止マリ前段認定ノ如キ軽キ脳溢血ニ罹リタルコトアリタル事実ヲ告知セサリシコトハ真正ニ成立シタリト認ムル乙第一号証ニヨリ之ヲ認メ得ヘク而シテ同人カ前段認定ノ如キ既往症ニ罹リタルコトアリタル事実ヲ知リ居リタルコト証人岡本庸太郎ノ証言ニ証人ハ七代吉トハ懇意ナル故同人ニ対シ病名ハ脳溢血ナリト告ケ診察ノ際酒ヲ廃スヘキ様注意シタリトノ供述アルニ依リ之ヲ認ムルヲ得ヘシ即チ商法第四百二十九条ノ所謂悪意ニ因リテ重要ナル事実ヲ告ケサリシモノト認ムルヲ相当トスヘク仮ニ右七代吉ニ於テ前記既往症ヲ重要ナル事項ニアラスト解シタル結果之ヲ告知セサリシモノトスレハ之即チ告知セサリシコトニ付重大ナル過失アルモノト謂ハサルヘカラス」（東京地判大五・一一・一八新聞一二〇一・一七‖評論六商三三）。

【88】「右チヨメカ本件保険契約締結ニ先ツコト一年ナラサル昭和三年十月頃子宮周囲炎及卵巣炎ニ罹リテ医師ノ診療ヲ受ケタル事実及右チヨメカ昭和五年三月三十一日子宮周囲炎膿毒症ニヨリテ死亡シタル事実ト鑑定人泰清三郎及高田他家雄ノ各鑑定ノ結果ニヨリ認メ得ル卵巣炎及子宮周囲炎カ一旦治癒ノ観ヲ呈スルモ直チニ再発ヲ来シ治癒甚タ困難ニシテ且予後不良ニシテ膿毒症又ハ汎発性腹膜炎ヲ発生スル可能性多キ事実トヲ彼此参酌スレハ被保険者タルチヨメハ本件保険契約締結当時生命ノ危険ヲ測定スルニ付重大ナル関係ヲ有スル疾患ニ罹リ居タルモノト認メ得ヘシ（中略）而シテ斯クノ如キ重患ニ罹リ居リタル事実自体ハ被保険者タルチヨメニ於テ自覚シ居リタルモノト看做スヘキハ当然ト謂フヘク又其夫ニシテ保険契約者タル原告トシテモ他ニ何等反証ナキ本件ニ在リテハ当時該事実ヲ知悉シ居タルモノト解スルヲ妥当トスヘキニヨリ前記認定ノ如ク保険契約締結当時該事実ヲ保険者タル被告等会社ニ告知セサリシ本件ニ在リテハ他ニ特別ノ事

情ナキ限リ被保険者タルチヨメ及保険契約者タル原告ハ悪意又ハ重大ナル過失ニ因リテ該事実ヲ告知セサリシモノト推定スヘキモノトス」（東京地判昭七・九・二七評論二一商六四〇）。

【89】「大山重雄ハ昭和六年二月頃食慾不振腹部脹満ノ症状ヲ訴ヘ医師山本定四郎ノ診察ヲ受ケタルトコロ結核性腹膜炎ナリトノ診断ヲ受ケ同医師ヨリ其ノ旨ヲ告ケラレ同月二十三日ヨリ同年三月四日マテノ間数回医師ノ治療ヲ受ケタルコトハ証人山本定四郎ノ証言ニヨリ之ヲ認メ得ヘク（中略）而シテ原告又ハ右大山重雄カ本件保険契約締結ニ際シ被告ニ対シ大山重雄ハ四五年前脚気ニ罹リタル旨ヲ告知シタル外何等既往症ニ関スル告知ヲ為ササリシコトハ証人千葉万吉等ノ証言ニ徴シ之ヲ肯認シ得ルトコロナリ（中略）然ラハ右保険契約前僅カ一ケ年以前ニ結核性腹膜炎ノ如キ疾病ニ罹レル旨ヲ診断セラレタル事実ハ生命ノ危険ヲ測定スヘキ重要ナル関係アル事項ニシテ商法第四百二十九条第一項ニ所謂重要ナル事項ニ該当スルニ拘ラス右大山重雄若クハ原告ノ何レヨリモ之ヲ被告ニ告知セサリシトスレハ被保険者若クハ保険契約者カ故意若クハ少クトモ重大ナル過失ニヨリ保険者ニ対スル告知義務ヲ尽ササリシモノト断セサルヲ得ス」（東京地判昭八・一二・一一評論二三商三一〇）。

【90】「喜十郎ハ昭和五年頃黴毒ニ罹リタルコトアリタルカ昭和九年二月頃全身（殊ニ顔面）浮腫甚タシク呼吸困難食慾不振ノ為同月五日医師薫田源三ノ診察ヲ求メタルヲ以テ同医師ニ於テ診察並検尿ノ結果蛋白頗ル陽性ニシテ稍重キ慢性腎臓炎ナル旨診断セラレタルニ拘ラス昭和九年八月四日前示保険契約ヲ締結スルニ際シ右喜十郎及控訴人ハ被控訴会社ニ対スル保険契約申込書ノ被保険者ニ関スル告知事項欄ニ右ノ如キ既往症ナキ旨ヲ記載シ又右喜十郎ハ被控訴会社ノ診査医西村有太郎カ右喜十郎ヲ診査シタル際同診査医ニ対シテモ該既往症ヲ告知セサリシコトヲ認メ得ヘク而シテ実験則上顕著ナル慢性腎臓炎カ屢々余病ヲ併発スル虞アル事実ト被控訴会社カ保険申込書ニ被保険者ニ関スル告知事項トシテ特ニ腎臓ニ関スル既往症ニ付告知ヲ要求シ又診査医ヲシテ診査ノ際特ニ検尿ニ依リ蛋白ノ有無ヲ検査セシムル事実トヲ綜合考覈スレハ慢性腎臓炎ノ既往症アルコトハ生命保険ニ於ケル被保険者ノ生命ノ危険測定上重要ナル事実ナリト認ムルヲ相当トス

而シテ以上認定ノ事実ト右喜十郎カ前示認定ノ薫田医師ノ診断ヲ受ケタル昭和九年二月五日ヨリ前示保険契約ノ成立迄僅カ半歳余ニ過キサル事実トニ鑑ミルトキハ前記既往症ヲ告知セサリシコトニ付少クモ被保険者タル前示喜十郎ニ悪意又ハ重大ナル過失アリタルモノト謂フヘシ」（東京地判昭一二・四・九新聞四一七六・一〇）。

【91】「右勇太郎カ本件保険契約成立ノ約二ケ年前肋膜炎ヲ患ヒ三週間余ニ亘リ入院診察ヲ受ケタルコト前叙ノ如クナルカ故ニ斯ル事情ノ下ニ於テ之レヲ知悉シ居タル原告又ハ勇太郎カ被保険会社ノ診査医タル前記五十嵐菊雄ニ対シ右事実ヲ告知セサリシハ特ニ反証ナキ限リ商法第四百二十九条第一項ニ所謂悪意又ハ少クトモ重大ナル過失ニ因リ重要ナル事実ヲ告ケサリシ場合ニ該当スルモノト謂フヘシ」（東京地判昭一三・六・一〇新聞四三〇四・八）。

【92】「昭和十年十二月カラ翌年三月マテ約三ケ月間肋膜炎等テ医師ノ診療ヲ受ケナカラソノ終診カラ約一年七ケ月後テアル昭和十二年十月ノ本件保険契約当時診査医ノ問ニ対シテコノ事実ヲ告ケス却テ不実ノ答ヲシタノハ反対ノ証拠ノ見ルヘキモノカナイ限リ悪意又ハ少クトモ重大ナ過失カアツタモノトイフヘキテアル」（東京地判昭一五・五・三一新聞四六一二・九）。

六　告知義務の違反

——その二　告知義務違反の効果

〔文献〕　竹田「告知義務違反に因る保険契約の解除に就て」（論叢六巻四号＝同・商法の理論と解釈三八八頁）、朝川「生命保険の告知義務における保険者の過失」（保険学雑誌三七九号）、青谷「告知義務に於ける因果関係論」（生命保険経営一四巻五号）、同「告知義務違反による解除の相手方及び解除期間」（生命保険経営一三巻五号）

一　解除権の発生

告知義務の違反があったときは、保険者はこれを理由として保険契約を解除することができる（商六七八Ｉ本文）。ただし、保険者が保険契約締結の際不告知若しくは不実告知の対象となった事実について真実を知っていたとき、又は過失によってこれを知らなかったときは、解除権は発生しない（商六七八Ｉ但）。

（一）　総説　告知義務違反の効果として解除権が発生するということについては、つぎの諸点に注意すべきである。

(1)　告知義務の違反があっても、保険契約が当然に無効となったり、また保険者が当然に保険金支払義務を免れたりするのではない。告知義務違反の効果としては保険者が解除権を取得するに止まる。

(2)　別個の事実・事項につき告知義務の違反があるときは、保険者はそのそれぞれを理由として解除をなしうる。この意味において、各解除権は、他の解除権と独立する【93】。

【93】　「被保険者河合琴平カ保険契約締結ノ当時肺尖加答児ニ罹レルコト其娘みゆきカ肺結核ニテ死亡セシコトハ孰レモ被保険者ノ生命ノ危険ヲ測定スルニ重要ナル関係ヲ有シ上告会社ノ普通保険約款第十三条ニ所謂重要ナル事実ニ該当スルモノナレハ被保険者カ二者中孰レカ一ノ事実ヲ悪意又ハ重大ナル過失ニ因リ告ケサリシトキハ保険者タル上告会社ノ保険約款第十三条ノ定ムル所ニ従ヒ契約ノ解除ヲ為シ得ヘキナリ此ノ如ク被保険者カ其疾病ヲ告ケサリシコトト其娘ノ死亡症ヲ告ケサリシコトトハ各独立シテ契約解除ノ原因ヲ為スカ故ニ上告会社カ過失ニ因リ被保険者ノ疾病ヲ知ラサリシコトハ上告会社ヲシテ被保険者カ自己ノ疾病ヲ告ケサリシコトヲ理由トシテ契約ヲ解除スルコトヲ得サラシムルニ止マリ其娘ノ死亡症ヲ隠蔽シタルコトハ之レカ為メニ契約解除ノ原因タルコトヲ失フヘキニ非ス原院ハ上告会社ノ保険医ニシテ普通保険医ノ用ユヘキ注意ヲ用キテ被保険者ノ身体ヲ検査シタランニハ本人ノ告知ヲ待タスシテ容易ニ其疾病ヲ発見シ得ヘカリシカ故ニ被保険者ヨリ其娘ノ死亡症ニ付キ真実ノ告知ヲ受ケサリシニセヨ被保険者ノ生命ノ危険測定ヲ誤

リタルハ畢竟上告会社ノ過失ニ因ルモノナレハ上告会社ハ被保険者カ其娘ノ死亡症ニ付キ真実ヲ告ケサリシコトヲ理由トシテ契約ヲ解除スルヲ得サルモノト為シタリ然レトモ上告会社ハ其検査医カ被保険者ノ身体検査ニ注意ヲ欠キタルカ為メ現ニ肺尖加答児ニ罹レルコトヲ発見セサリシニセヨ被保険者ノ告知ニ依リテ其娘ノ死亡症ノ肺結核ナルコトヲ知リタランニハ危険ヲ慮リテ保険契約ノ締結ヲ拒絶シタリシヤモ知ル可カラサレハ被保険者ノ疾病ヲ知ラサリシコトニ付キ過失アルモ其娘ノ死亡症ヲ知ラサリシコトニ付キ過失ナキニ於テハ娘ノ死亡症ノ不告知ヲ理由トシテ契約ヲ解除スルヲ得サルノ理ナシ故ニ原院カ判示ノ如キ理由ニ依リテ上告会社ニ契約解除ノ権利ナキモノトシ以テ被上告人ノ請求ヲ容レタルハ保険約款ニ違背シテ裁判シタル違法アルモノトス」（大判大九・四・一六民録二六・五三七。第一審判決は東京地判大六・三・一七判例二巻一七号民事六一三頁、第二審判決は東京控判大八・一一・一二新聞一六三六・一二＝評論八商七二三）。

なお、大判明四五・五・一五（民録一八・四九二）は、告知義務違反あるときは契約が無効となる旨を定めていた商法の下において、各無効原因は他の無効原因と独立するという結果を認めていた。

(3)　近時の普通保険約款においては、保険申込書に記載された被保険者の年齢が実際の年齢と異なつている場合において、これが保険会社の定める年齢の範囲外であるときは、保険契約を無効とする旨を定めるのが通常である。これについては前述した。

(4)　大正五年一一月二一日の大審院判決（前出【5】）は、告知義務違反があるとき一般的に直ちに保険契約を無効とする旨の約款規定を有効としている。しかし、今日かような約款規定がその効力を認められるかどうか、疑問であると思う。

(二)　保険者の悪意又は過失　保険者がその事実を知り又は過失によってこれを知らなかったときは、告知義務違反があっても解除権は発生しない（商六七八Ⅰ但）。

(1)　悪意　ここに「その事実」とは、不告知又は不実告知の対象となつた事実をいい、必ずしも一般に顕著な事実又は保険者がその業務上一般に予知するものと認めらるべき事実に限るものではない【94】。

【94】　被保険者が喉頭結核及び肺結核の現症並びに気管支加答児の既往症を告知しなかつた事件である。

（上告理由）「……原判決ハ被上告人ノ既往症掩蔽ハ本件保険契約ニ於テ重要ナル事項ニ付キ不実ノ事ヲ告ケタルモノナルニ該当スルコトヲ認メタルニ拘ラス斯ル既往症ハ保険医ニ於テ之ヲ知リ得ヘキモノナルヲ以テ商法第四百二十九条但書ニ該当スト説明セリ然レトモ(1)商法第四百二十九条但書ニ所謂保険者ニ於テ知ルコトヲ得ヘカリシ事実トハ一般ニ顕著ナル事実及ヒ保険者ノ業体ノ性質上其業務執行ノ位地ニアルモノカ平常ノ注意トシテ之ヲ調査シ之ヲ知ルコトヲ得ヘカリシ事実ヲ指スモノニシテ各箇ノ場合ニ於テ特別ノ調査ヲ為シ初メテ之ヲ知リ得ヘキカ如キ事実ヲ指スモノニアラスト信ス此点ニ付キ外国ノ法律ニ詳細ナル規定ヲ設クルモノ少キモ英吉利ニ於テハ生命保険ト同一ノ原則ヲ採用スル海上保険ニ関シ一九〇六年海上保険条例ニ於テ上告人ノ所見ト同一ノ法則ヲ掲ケタリ惟フニ他ノ外国ニ於テモ亦解釈上同一ノ法則ヲ採用スルモノナラン而シテ被保険者ノ健康状態ノ如キハ検査医ノ特別ノ調査ニ依リテノミ知リ得ヘキモノニシテ所謂顕著ナル事実ニアラサルハ勿論生命保険会社ノ営業上通常之ヲ知リ得ヘキモノニアラサレハ斯ル健康状態ニ関スル事実ハ商法第四百二十九条但書ニ所謂保険者カ知ルコトヲ得ヘカリシ事実ニ該当スルモノニ非ス然ルニ原判決カ既往症掩蔽ヲ以テ保険者カ知ルコトヲ得ヘカリシ事実ナリト判示シタルハ法則ヲ不当ニ適用シタル不法アルヲ免レス……」

（判決理由）「……商法第四百二十九条但書ニハ『保険者カ其事実ヲ知リ又ハ之ヲ知ルコトヲ得ヘカリシトキハ此限ニ在ラス』トアリ其後半『之ヲ知ルコトヲ得ヘカリシトキ』トハ其本文ノ文詞ヲ承ケ保険者カ被保険者ノ隠蔽若クハ虚陳シタル事実ノ真相ヲ発見シ得ルニ拘ラス注意ノ不足ニ因リ之ヲ発見スルコトヲ得サ

リシ場合換言スレハ保険者カ過失懈怠ニ因リ其真相ヲ発見シ得サリシ場合ヲ意味シ商法ハ保険者ノ知ルコトヲ得ヘカリシ事実関係ノ性質種類ニ関シ何等ノ制限ヲ設ケサルヲ以テ其所謂知ルコトヲ得ヘカリシ事実ノ範囲ヲ一般取引上顕著ナル事実又ハ保険者カ其業務上一般ニ予知スルモノト認メラルヘキ事実ニ限定スヘキ理由ナク被保険者ノ一身ニ存スル事実ニシテ一般人ニ於テ之ヲ予知セス又之ヲ予知スルコトヲ得サルモノト雖モ保険者ハ保険契約ノ締結ニ際シ之ヲ知ルニ必要ナル注意ヲ為スコトヲ要シ此注意ヲ欠キタルカ為メニ之ヲ知ルコトヲ得サリシモノハ総テ其中ニ包含スルモノト解スルヲ相当トシ其事実ノ性質種類ニ依リテ区別ヲ為スハ解釈法ノ許ササル所ナリ……」（大判明四五・五・一五民録一八・四九二）。

(2)　過失　過失によつてこれを知らなかつたとは、取引上必要な注意を欠いていたためにこれを知らなかつたがさような注意をつくせば知りえたであろうことをいう。右に必要な注意とは、法律によつて注意義務という形で要求される注意ではなく、保険者が取引上自己の被ることあるべき不利益を防止するために尽すのが相当であると認められる注意をいう【95】【96】。

（イ）　今日では告知義務の履行に関しては質問表を使用するのが通常であることは前述したが、保険者が質問表によつて告知を求めた場合において、ある事項について告知を求めなかつたときは、当該事項の不知については保険者に過失があるとするのが判例である【95】。

【95】　保険契約者は、本件保険契約の締結に先立ち他の保険会社に本件保険者と同一人を被保険者とする保険契約の申込をして、これを拒絶せられたという事実がある。この事実が保険会社に告知せられなかつた。原審は、これは重要事実であるが、保険会社はこれについて質問をしておらず、これは保険会社の過失と認められるから、保険会社の解除の意思表示は無効であるとした。

（上告理由）「……法律上過失ハ注意義務ノ存在ヲ前提トス而シテ商法第四百二十九条ニ所謂告知義務ハ

前掲原判決ニ示ス如ク保険契約者又ハ被保険者ニ於テ保険者ノ質問ヲ竢タス自ラ進ンテ之ヲ告知スヘク保険者ハ質問ヲ為スヲ要セサルモノトス故ニ保険者側ニ於テ之カ質問ヲナサリシトスルモ之ヲ以テ保険者又ハ其ノ使用人ニ過失アリトナス能ハス原判決ニ『一般生命保険会社ニ於テハ保険契約者又ハ被保険者ニ特ニ質問ヲ為スヲ常トス』トアル意味明察シ難キトコロナシトセサレトモ仮ニ其ノ示スカ如キ慣習又ハ手段アリトスルモ之ニヨリ商法第四百二十九条ヲ排除シ保険者ニ斯ノ如キ質問ヲ為スヘキ義務ヲ生スルコトナク従テ之カ質問ヲ為ササリシトスルモ過失ナル違法状態ノ生スヘキ謂ハレナシ蓋商法第四百二十九条ノ告知義務違背ノ成立ニハ保険者ノ質問ヲ要セサルモノナレハコノ不要ナル質問ヲ為ササリシコトヨリ過失ナル法果ヲ生スヘキモノニ非サレハナリ要スルニ原判決ハ法ノ規定ニヨリテ過失ヲ阻却セラルヘキ事項ニツキ過失ヲ認メタルモノニシテ法則ノ適用ヲ謬リタル違法アリ」

（判決理由）「商法第四百二十九条第一項但書ニ於ケル過失ニ因リテ之ヲ知ラサリシトキトハ保険者カ自己ニ被ムルコトアルヘキ不利益ヲ防止スル為ニ取引上必要ナル注意ヲ欠キタルコト所謂自己過失ヲ指称スルモノニシテ法律上注意義務ノ存在ヲ前提トシ此ノ義務ニ違背シタル場合ヲ謂フモノニ非ス然ラハ原院カ本件ニ於テ被保険者村田タキカ曩ニ帝国生命保険会社ニ保険ノ申込ヲ為シ拒絶セラレタルコトヲ上告会社ニ於テ知ラサリシハ畢竟被上告人ヨリ本件保険ノ申込アリタル際上告会社ノ使用人カ右タキ又ハ保険契約者タル被上告人ニ対シ被保険者タキハ曾テ他ノ生命保険会社ニ保険ノ申込ヲ為シタルコトアリシヤ否及其ノ結果ニ付質問ヲ為ササリシコトニ基因スルモノニシテ即チ上告会社ハ自己ノ被ムルコトアルヘキ不利益ヲ防止スル為ニ取引上必要ナル注意ヲ欠キタルモノニ外ナラサルモノト認メ該行為ヲ以テ前示但書ノ規定ニ該当スルモノト判断シタルハ洵ニ相当ナリ依テ本論旨ハ採ルニ足ラス」（大判大一二・一〇・二五民集二・六一二）

保険者は保険契約締結の際質問表によつて告知を求めるのが通常であるという事情にてらして考えると、質問表中で質問をしなかつたのは保険者の過失であるという本判決の結論には、大体において賛成すべきものと思う。保険者は、保険の専門家として何が危険測定上重要であるかを知り、危険測定上必要なあらゆる事項について予め質問をなしうるものと考えられる。それ故右の結論は、保険者に不当な負担ないし不利益を課すものではないであろう。他方右の結論が申込人側にとって好都合なものであることは、自ら明らかである。

本判決は、直接的には解除権の阻却原因としての保険者の過失の問題を取扱ったものである。しかし、本判決のいうように、質問をしなかったことが一般的に保険者の過失であって、これにより解除権の発生が妨げられるというのであれば、保険者が質問をしない事項については、告知をしなくても解除権は発生しないのであるから、これはことの実質においては告知事項の範囲を保険者の質問した事項に制限したのと同じことである。告知義務者は保険者から質問せられた事項について告知をすれば告知義務を尽したことになる、とするのと同じことである。従って本判決では、質問をしないのは保険者の過失であるという理論を通して、告知義務者は保険者から質問された事項につき告知をすれば足りるという、スイス保険契約法が認めているのと同様の結果が、間接的に認められているといえる。

なお、今日のわが国の普通保険約款には、告知すべき事項は質問表に記載された重要事項に限るという趣旨の規定を設けているものがある。青木延一氏は、「保険会社の質問事項は、危険測定に重要な事実又は事項を漏れなく網羅していてそれ以外には重要な事実又は事項はないと断定することはできないが、苟くも保険の専門家である保険会社が自ら作成して質問する以上は告知義務者はこれらの質問事項につき誠実にありのままを告知しさえすれば、それで告知義務を果したと認めるべきであろう」といわれる（生命保険実務講座四巻一六二頁）。

右に述べたように、本判決の結論には賛成すべきものと思う。しかし、これに関してつぎの二点を付言しておきたい。第一に、質問表によって告知をした後契約成立前に生じた重要事実については、質問をしなかったのは保険者の過失であるという理論はあてはまらないと考えるべきであろう。第二に、本判決は、保険者の質問としては、口頭の質問と書面による質問とを区別していないようであるが、この点は必ずしも賛成しえない。ここにいう保険者の質問も、書面による質問に限るのが適当であると考える。

（ロ）　診査後一ヵ月を経過して後に保険契約を締結する場合は再診査をなすべき旨の内規がある場合において、これに従わなかったために事実を知らなかったときは、保険者に過失があるとした判決がある【96】。正当であろう。

【96】　「原審ノ確定シタル事実ニ依レハ保険者タル上告人ノ診査医カ被保険者ノ診査ヲ為シタル後三十余日ヲ経過シテ生命保険契約ヲ締結シタルカ上告人ノ内規ニハ診査後一ケ月ヲ経過シテ契約ヲ締結セムトスルトキハ再診査ヲ為スヘキ旨定アルニ拘ラス上告人ハ其ノ手続ヲ執ラサリシモノナリト云フニ在リ然リ而シテ右内規ノ趣旨タルヤ最初ノ診査ヨリ一ケ月ヲ経過スルトキハ其ノ間ニ被保険者タルヘキ者ノ健康状態ニ重大ナル変動ヲ生シ保険者トシテ保険契約ノ締結ヲ避止セサルヘカラサル事情ヲ来スコトナキヲ保シ難キヲ以テ再診査ノ上相当ト認ムルニ非サレハ契約ヲ締結セサルコトハ一般ニ保険業者トシテ其ノ業務上当然ニ執ルヘキ注意ニ外ナラサルコトヲ明ニシタルモノト解スヘク従テ右内規ヲ遵守スルカ否ハ固ヨリ上告人ノ自由ナリト雖右ノ場合ニ於テ若再診査ヲ為サスシテ契約ヲ締結シタルトキハ上告人ハ其ノ業務上ノ注意ヲ十分ニ為サ

サリシモノト云ハサルヘカラス而シテ既ニ内規ニ於テ右期間ヲ一ケ月ト定メタル以上特別ノ事情ノ存セサル限縦令数日ト雖右期間ヲ経過シタル後契約ヲ締結セムトスルトキハ再診査ヲ為スヘク之ヲ為ササリシトキハ叙上業務上ノ注意ニ欠クルトコロアリタルモノト解スルヲ相当トスヘク原審ノ確定シタル事実関係ニ在リテハ本件ニ於テハ之ニ関シ何等特別ノ事情ノ存セサリシモノナリトス然リ而シテ原審ハ証拠ニ基キ上告人カ若其ノ診査医ヲシテ再診査ヲ為サシメタラムニハ被保険者ノ腹膜炎ノ症状ヲ知リ得タリシモノナルヘキ事実ヲ認定シ結局本件ニ在リテハ保険契約者及被保険者ニ告知義務違背ノ事実アルモ保険者タル上告人ニ於テ右事情ヲ知リ得ヘカリシモノトシ以テ上告人ノ解除ノ主張ヲ排斥シタルハ正当ナリ」（大判昭七・一一・二四新聞三四九九・七‖評論二二商四九‖新報三一二・一七・）（なお大判昭四（オ）七七六号新聞三〇五一・一四‖評論一九商二七〇参照）。

（八）　生命保険業者の間では、古くから再診謝絶者票（再診カードともいう）の交換ということが行なわれている。これは、保険業者が保険契約の申込を受けてこれを拒絶した場合又は再診査に付した場合（すなわち、承諾を留保し、一定期間をおいて改めて診査した上で諾否につき再考することとした場合）に、これに関する事項を他の保険業者に知らせる制度である。保険会社に保険の申込をしてきた者がすでに回付を受けている再診謝絶者票に記載された者であるときは、保険会社は、それに記載された事項を参考にして、危険の選択に誤りなきを期することができる。

保険会社が再診謝絶者票の記載を看過して保険契約を締結した場合において、これを見ておれば不告知又は不実告知にかかる事実を知りえたであろうと考えられるときは、保険会社に過失があることとなるかどうかが問題となる。この問題を正面から取扱った判例はないようであるが、判例によれば保険者が業務上尽すべき注意を欠いたならばそれは保険者の過失となるのであるから、これを肯定しなければならないであろう。つぎに掲げる判決は、保険者が再診謝絶者票の回付を受けていたことをもつて、保険者の悪意を認定する資料の一つにしている。

【97】「右訴外人（保険契約者兼被保険者）ハ被告（保険会社）ノ主張スル通リ昭和十一年七月一日訴外日本生命保険株式会社ニ保険契約ノ申込ヲシタカ診査ノ結果聴診異常等ノ理由テソノ契約締結ヲ拒絶サレタ（中略）右訴外人ハ本件保険契約当時前記ノ事実ヲ知リナカラコレヲ被告ニ告ケス却テカヤウナ事実ハナイト答ヘタコトカ認メラレル（中略）シカシナカラ訴外社団法人保険会社協会カ昭和十一年九月十六日附ノ書面テ前記訴外会社カ同年七月一日右訴外人ヲ診査ノ結果聴診上異常打診上異常速脈トノ理由テ右訴外人ヲ被保険者トスル保険契約ノ締結ヲ拒絶シタ旨ヲ被告ニ通知シタルコトハ当事者間ニ争カナクコノ事実ト証人川村義男及ヒ大塚文雄トノ証言トヲ合セ考ヘルト本件保険契約当時右訴外人ノ再診査ニ当ツタ被告会社ノ診査医従ツテ被告ハ前記ノ事由（ソレハ呼吸器ノ疾患ノアルコトヲ意味スル）テ右訴外人カ前記訴外会社カラ保険契約ノ締結ヲ拒絶サレタ事実ヲ知ツテヰタコトカ認メラレコノ認定ヲ左右スルニ足ル証拠ハナイ従テ右訴外人カ前ニ認定シタヤウニ故意ニコノ事実ヲ被告ニ告ケス却テカヤウナ事実ハナイト答ヘタトシテモ被告ハコレヲ理由トシテ本件保険契約ヲ解除シ得ナイコトモマタ多言ヲ要シナイトコロテアル」（東京地判昭一五・五・三一新聞四六一二・九）。

（ニ）　ここにいう過失は、重過失であると軽過失であるとを問わない【98】。

【98】「保険契約ニ於テ保険者ハ保険事業ノ性質上危険測定ニ重要ナル事項ヲ知ルノ必要アルヘク之ヲ知ルニ付相当ノ注意ヲ用ユヘキハ当然ノコトナリトス但斯ル事項ハ被保険者ニ於テ知リ又ハ容易ニ知リ得ヘキ所ナルヘキヲ以テ法律ハ是等ノ者ニ之カ告知義務ヲ負ハシメタルモ是等ノ者ハ保険ヲ業トスル者ニ非ルカ故ニ此ノ場合ニ保険者ト同一程度ノ注意義務ヲ課スルハ当ヲ得タルモノニ非ストシ商法第四百二十九条第一項

ノ本文ニ於テ保険契約者又ハ被保険者カ悪意又ハ重大ナル過失ニ因リ告知義務ニ違反シタル場合ニ限リ保険者ニ解除権ヲ与ヘタルト同時ニ其ノ但書ニ於テ保険者カ過失ニ依リ（重大ナル過失ニ限ラス）告知事項ヲ知ラサリシ場合ニ於テハ之カ解除権ナキ旨ヲ規定シタリ即右但書ニ所謂過失トハ必スシモ重大ナル過失ニ限ラサルコトハ文理解釈上明ナルノミナラス之ヲ重大ナル過失ニ限定シテ解釈スヘキ法理上ノ根拠ナシ従テ之ニ反スル見解ヲ前提トスル本論旨ハ理由ナシ」（大判昭三・六・六評論一七商三二九）。

(3)　保険者の補助者の悪意又は過失　保険者がその事実を知り又は過失によってこれを知らなかったときは解除権は発生しない、という法則の適用については、診査医・外務員等、保険者の補助者の知又は過失による不知が保険者の知又は過失による不知と同視されるか否か、という問題がある。

（イ）　診査医　診査医の知又は過失による不知は、保険者の知又は過失による不知と同視される。これは、判例が古くから一貫して認めるところである【99】【100】【101】【102】。診査医が保険者の使用人であると否とを問わない【100】。

【99】　被保険者の喉頭結核及び肺結核の現症並びに気管支加答児及び鼓膜炎の既往症の不告知にもとづく解除が主張された事件である。

（上告理由）　「原判決ハ被上告人ノ既往症掩蔽ハ本件保険契約ニ於テ重要ナル事項ニ付キ不実ノ事ヲ告ケタルモノナルニ該当スルコトヲ認メタルニ拘ラス斯ル既往症ハ保険医ニ於テ之ヲ知リ得ヘキモノナルヲ以テ商法四百二十九条但書ニ該当スト説明セリ然レトモ（中略）保険会社カ其事実ヲ知ルコトヲ得ヘカリシ場合ナリトスルニハ民法第百一条ノ原則ニ依リ保険契約締結ノ任ニ当リタル保険会社ノ代理人カ其事実ヲ知ルコトヲ得ヘカリシ場合ナラサルヘカラス而シテ検査医ハ保険会社ノ為ニ被保険者ノ健康状態ヲ審査スルモノナルヲ以テ検査医ノ知リタル事実ハ保険会社ニ於テ知リ得ヘキモノナルモ被保険者ノ掩蔽ニ依リ検査医ノ知ラ

サル事実ハ仮令之ヲ知ラサルハ検査医ノ知識ノ不足ニ出ツルトモ保険会社ノ代理人ニ於テハ之ヲ知ルコトヲ得ヘキ方法ナキヲ以テ保険会社ニ取テハ之ヲ知ルコトヲ得ヘカリシ事実ナリト謂フヲ得ス然ルニ原判決カ検査医カ身体検査ヲ為シタル上ハ本件既往症ヲ知リ得ヘカリシモノナルコトノミヲ理由トシテ直チニ商法第四百二十九条但書ヲ適用シタルハ何故ニ本件ニ於テ検査医ノ知リ得ヘカリシ事実ハ直チニ保険会社タル上告会社ノ知ルコトヲ得ヘカリシ場合トナルヤニ付理由ヲ具備セサル不法ノ裁判タルヲ免レス」

（判決理由）「生命保険業者カ保険契約ヲ締結スルニ当リ其雇使又ハ嘱託ニ係ル医師ヲシテ被保険人ノ健康状態ヲ診断セシメ其保険ノ申込ノ拒否ヲ決スルハ取引上ニ於テ一般ニ行ハルル所ノ慣例ナリ蓋シ生命保険会社カ其業務ノ執行上ニ於テ医師ヲ雇使シ又ハ之ニ嘱託シテ被保険人ノ健康診断ヲ為サシムルニ付キテハ法律ニ何等特別ノ規定ナク又保険業者カ被保険人ニ対シテ任意ニ負担シタル義務ニモアラサルヲ以テ保険業者カ其雇使ニ係ル医師ヲシテ被保険人ノ健康診断ヲ為サシムルト否トハ保険業者自由ノ権内ニ属シ医師ヲシテ之ヲ為サシムルモ是レ全ク自己ノ利益ノ為メニ之ヲ為スモノニ外ナラサルヲ以テ保険業者ハ其雇使又ハ嘱託シタル医師カ被保険人ノ診断上ニ付キテ為シタル過失ニ付キテハ責任ヲ負ハサルモノト論スヘキニ似タリ然レトモ生命保険ノ如キ人ノ身体ニ重大ナル関係ヲ有スル業務ニ従事スル者ハ保険ノ申込ヲ受クル毎ニ其申込人ノ健康状態カ保険契約ヲ締結スルニ適スルヤ否ヤヲ知ルニ必要ナル施設ヲ為スハ其業務ノ性質上須ラク為ササル可カラサルノ注意ニ属シ其雇使嘱託シタル医師ハ要スルニ保険業者ノ専門的知識ノ欠漏ヲ補ヒ之ヲシテ契約ノ締結ニ必要ナル申込人ノ健康状態ヲ知ルコトヲ得セシムルヲ以テ其任務ト為スモノニシテ保険者ノ為メニ申込人ノ健康状態ヲ知ルノ機関トナリ保険業者ハ之ヲ利用シテ業務上必要ナル調査ヲ為スモノナレハ医師カ申込人ノ健康診断上ニ於テ為シタル過失ハ保険業者ニ対シテ其効ヲ生シ医師カ知リ又ハ知リ得ヘカリシ事項ハ本人タル保険業者カ知リ又ハ知リ得ヘカリシ事項トシテ保険業者其責ニ任セサルヘカラス故ニ本件上告会社カ自ラ被保険人仲田健次郎ノ病症ヲ知ラス又之ヲ知ルコトヲ得サリシ地位ニ在リトスルモ其保険医カ之ヲ知リ又ハ之ヲ知リ得ヘキ地位ニ在リタルトキハ上告会社ハ其責任ヲ辞スルニ由ナキモノトス」（大判明四五・

五・一五民録一八・四九二）。

【100】「上告論旨ハ原判決ハ『被控訴人ノ診査医カ平田稔ヲ診察スルニ当リ少シク注意シテ診察シタランニハ容易ニ同人ノ肺結核ニ罹リ居タルコトヲ知リ得タリシモノト云フヘク之ヲ知ラサリシハ全ク其過失ニ基クモノト認メサルヘカラス診査医ハ被控訴人ノ使用人ナルヲ以テ診査医カ過失ニ因リテ之ヲ知ラサル以上ハ其効力ハ被控訴人ニ対シテ生スルモノトス』ト説明シ診査医ヲ以テ直チニ上告人（原審被控訴人）ノ使用人ト断定シタルハ理由不備ナリト思料ス蓋シ診査医ハ上告人トノ間ノ雇傭関係ニ在ルモノニ非ス当該被保険者ヲ診査スルニ際シ上告人ノ依頼ニ基キ一種ノ委任関係ニ於テ技術上学術上ノ診査ヲ為スニ止リ法律上ノ代理人ニモ非ス又上告人会社員ニモ非ス使用人ニモ非サルヲ以テ原判決ニ於テ之ヲ上告人ノ使用人ナリト認定スルニ当リテハ十分ノ理由ヲ説明スヘキ筋合ナリ然ルニ原判決茲ニ出テサルハ前述ノ不法アリト言ハサルヘカラスト云フニアリ

然レトモ生命保険会社カ雇使シ又ハ嘱託シタル医師ハ保険業者ノ為メニ申込人ノ健康状態ヲ知ルノ機関ト為リ保険業者ハ之ヲ利用シテ業務上必要ノ調査ヲ為スモノナレハ医師カ申込人ノ健康診断上ニ於テ為シタル過失ハ保険業者ニ対シテ其効ヲ生シ医師カ知リ又ハ知リ得ヘカリシ事項ハ本人タル保険業者カ自ラ知リ又ハ知リ得ヘカリシ事項トシテ保険業者其責ニ任セサルヘカラサルモノトス（明治四十五年（オ）第四十六号同年五月十五日言渡判決参照）而シテ保険医カ保険業者ノ為メニ申込人ノ健康状態ヲ診断スルコトハ保険業務ノ性質上必須ノ事項ナルカ故ニ其診断ノ結果カ保険業者ニ効力ヲ生スル点ニ付テハ保険医カ保険業者ノ使用人タル場合ト将タ受任者タル場合トニ付キ決シテ差異アルモノニアラス然ラハ本件診査医カ仮リニ上告人所論ノ如ク上告人ノ委任ニ因ルモノニシテ上告人ノ使用人ニ非ストスルモ上告人ハ等シク右診査医ノ診断上ノ過失ニ付キ其責ニ任スルコトヲ免レサルモノナルカ故ニ仮リニ原判示ハ所論ノ点ニ付不法アリトスルモ原判決ハ結局正当ニ帰スルカ故ニ本論旨ハ之ヲ採用スルヲ得ス」（大判大四・九・六民録二一・一四四〇、判批、松本・私法論文集三巻一〇〇頁）。

【101】被保険者の肺結核の現症が告知されなかつた事件である。

（上告理由）「原判決カ保険医ノ過失ハ保険者其責ニ任ス可キモノナルヲ以テ云云ト判示シタルハ法律ニ違背セル不法アリ抑モ保険者カ保険医ヲ雇使又ハ嘱託スル場合ニハ保険医ト保険者トハ人格全ク別個ニシテ保険医ノ過失ノ有無ヲ以テ直ニ保険者ノ過失ト判断スルコトヲ得ス保険者ノ過失ノ有無ハ保険者自身ニツキテ之ヲ定メサルヘカラス然ルニモ拘ラス保険医ノ過失ヲ以テ直ニ保険者ノ過失ナリト論断スルハ法理ヲ誤解セルモノニシテ結局法律ニ違背シタル裁判ナリトス」

（判決理由）「保険業者ハ其嘱託セル医師ヲシテ被保険者タラントスル者ノ健康状態ヲ調査セシムルモノナレハ其医師ノ診断上ノ過失ニ付キテハ自ラ其責任ヲ負フ意思ヲ有スルモノト解スヘキハ業務ノ性質上当然ナリ従テ其医師ニ診断上ノ過失アレハ保険業者ハ自己ノ過失トシテ其責ニ任セサルヘカラス原判決ノ説明ノ趣旨モ之ト同一ニ帰スルモノト解シ得ルヲ以テ本論旨ハ理由ナシ」（大判大一一・二・六民集一・一三・判批、鳥賀陽・論叢八・三九〇）。

【102】（上告理由）「原判決ニ依レハ『控訴会社診査医ノ過失ハ控訴会社其ノ責ニ任スヘキモノナルヲ以テ控訴会社ハ叙上認定ノ如キ被保険者ノ告知義務違背アリト雖モ被保険者ニ生命ニ危険ヲ及ホスニ足ル結核性呼吸器疾患アルコトヲ知リ得ヘカリシモノナレハ控訴会社ハ静枝ノ右告知義務違背ヲ理由トシテ本件保険契約ヲ解除シ得サルモノト謂フヘク』云々ト判示セラレタリ然レトモ凡ソ他人ノ行為ニ依リテ責任ヲ負フヘキ場合ハ原則トシテ法規上規定ノ存スル場合カ或ヒハ又タ特約ニ基クニアラサレハ責任ヲ負ハサル事ヲ原則トス然ルニ原判決カ『診査医ノ過失ハ控訴会社其ノ責ニ任スヘキモノナルヲ以テ』云々ト判示セルモ其ノ責ニ任スヘキハ診査医カ控訴会社ノ代理人トシテ責任アリトナスニアルカ或ハ又タ機関トシテ機関ノ行為ハ控訴会社ニ責任アリトナスニアルカ其ノ法律上ノ根拠不明ナルノミナラス而モ其ノ判示前段ニ於テハ『診査医ノ過失ハ控訴会社其ノ責ニ任スヘキモノ』トナシ診査医ノ過失ノ結果ニ対シ責任ヲ負フヘキ旨ヲ判示セルニ拘ラス其ノ後段ニ於テハ『控訴会社ハ（中略）被保険者ニ生命ニ危険ヲ及ホスニ足ル結核性呼吸器疾患アルコトヲ知リ得ヘカリシモノナレハ』云々ト判示シ以テ控訴会社カ当然知リ得ヘカリシ事実アルモノトシ控訴会社自体ノ過失行為ニ基クモノノ如ク判示セラレタルハ尠クトモ理由不備アル違法ノ判決ト云ハサル可

ラス」

（判決理由）「保険会社ノ診査医ハ其ノ会社ノ命ニ依リ会社ノ為メ被保険者ノ健康状態ヲ調査スル任務ニ従事スル者ナルヲ以テ生命保険契約ノ締結ヲ為スニ当リ保険契約者又ハ被保険者カ当該保険医ニ生命ノ危険ヲ測定スルニ必要ナル事項ヲ告知セサリシ場合ト雖モ被保険者ノ診査医ニ過失アリタルトキハ其ノ過失ハ即会社ノ過失ナリト謂ハサルヘカラサルコト論ヲ俟タス左レハ原審カ所論ノ如ク判示シタルハ正当ニシテ違法ニ非ス」（大判昭一八・九・一〇新聞四八七〇・六＝法学一三・二〇二）。

診査医の知又は過失による不知は保険者の知又は過失による不知であるという判例が認めている結論は極めて正当であつて、これについては学説上も異論はない。しかし、その理由づけの点については、やや問題がある。判例には、診査医が保険者の機関であることを理由とするものと、保険者は診査医の「診断上の過失に付きては自ら其責任を負ふ意思を有するものと解すべきは業務の性質上当然なり」というふうに、保険者の意思に根拠を求めるものがある。しかし診査医が保険者の機関であるということは、前にも述べたように一つの比喩にすぎなく、診査医の知・過失による不知が保険者のそれと同視せられることの法律的根拠の説明として充分でない。また、判例のように保険者の意思というようなものを考えるならば、個々の保険者の現実の意思としては、診査医の知又は過失による不知について責任を負うという場合もあろうが、反対に責任を負わぬという場合もあるであろう。従つて、一律に責任を負う意思を有するものと解すべしというのは、必ずしも事実に即しないうらみがある。結局、診査医の知及び過失が保険者のそれと同視せられるということの理由づけは、診査医が告知受領の代理権を有する者である点に求めるのが適当であろう。診査医が告知の受領に関し保険者を代理する権限を有すると考うべきことについては、前述した。診査医はかかる代理権を有するものとして、その知又は過失による不知は民法一〇一条の類推適用により保険者の知又は過失による不知と同視せられる、と解するのが適当であろう（ほぼ同旨、大森・保険法二八三頁、大森・三宅・生命保険契約法の諸問題一八三頁、竹田・論叢八巻六号一二三頁）。

つぎに、診査医の過失による不知はすなわち保険者の過失による不知となるとすれば、診査医の過失の有無を定める標準が問題とならざるをえないが、判例によれば、普通開業医が通常発見しうべき病症を不注意によって看過したか否かをもって標準とすべきである【103】【104】。

【103】　診査医の過失による不知が保険者の過失による不知となることを述べた後、つぎのようにいう。

「然レトモ保険者ノ雇使嘱託セル保険医ハ如何ナル場合ニ於テ被保険者ノ誤診ニ付キ過失ノ責ニ任スヘキヤハ別ニ講究スヘキ問題ニ属スルヲ以テ進ンテ此点ニ付キ審按スルニ患者ノ健康診断ニ依リ其病症ヲ発見シテ百発百中寸毫モ誤ラサルハ知名ノ国手専門ノ大家ト雖モ尚ホ且難シトスル所ナルヲ以テ既ニ被保険者ノ身体ニ病魔ノ伏在スル以上保険医カ之ヲ発見スルコトヲ得サリシハ其過失ナリトスルカ如キ極端ナル解釈ノ許スヘカラサルハ論ヲ竢タサルノミナラス誤診ニ対スル過失ノ有無ハ患者ノ病症ヲ知リ得ヘクシテ注意ノ不足ニ因リ之ヲ知ルコトヲ得サリシヤ否ヤニ依リテ定マルモノニシテ保険業者ノ雇使嘱託スル保険医ニ攻ムルニ知名ノ国手専門家ノ注意ヲ為スヘキコトヲ以テスルハ取引上ノ観念ニ反スルノミナラス元来保険業者カ被保険者ノ健康状態ヲ知ルニ必要ナル注意ヲ為スノ責務アリト謂フモ医術現下ノ進度ニ適応シタル一切ノ施設ヲ為スコトヲ要スルモノニアラスシテ普通一般ノ注意ヲ為スノミヲ以テ足ルモノナレハ其雇使嘱託スル保険医モ亦知名ノ国手専門家タルコトヲ要セス普通開業医トシテ患者ノ健康診断ヲ為スニ堪能ナル技倆ヲ有スルノミヲ以テ足ル従テ保険医ノ過失ノ有無ニ付キテモ亦其保険医カ被保険者ノ診断上普通開業医カ通常発見シ得ヘキ病症ヲ不注意ニ因リ看過シタルヤ否ヤヲ以テ標準トスヘク保険医ヲシテ夫レヨリ以上ノ注意ヲ為スノ責

ニ任セシムルコトヲ得ス」（大判明四五・五・一五民録一八・四九二、【99】と同一判決）。

【104】「被保険者徳代カ保険契約締結ノ当時胆石症ノ既往症再発シ医師ノ治療ヲ受ケ居リタル事実ハ原判決ノ認ムル所ナリ果シテ然ラハ同人ヨリ告知セサルモ特別ノ事情ナキ限リ普通開業医ノ知識ヲ有スル診査医ニ於テ相当ノ注意ヲ以テ診査ヲシタランニハ該症状発見シ得サルノ理ナキヲ以テ若シ発見シ得サリシトセハ其過失ト云ハサル可カラス」（大判大一〇・一二・七新聞一九四六・一八）。

診査医が保険診査以前に被保険者を診察治療したことがある場合において、処方録等を調査すれば容易にその既往症を知りうるにかかわらず、これを怠つたときは、その既往症を知らないについて診査医に過失があるとした判決がある【105】。

【105】「保険契約締結ノ当時保険契約者又ハ被保険者カ悪意又ハ重大ナル過失ニ因リ重要ナル事実ヲ告ケサルトキト雖保険者カ其ノ事実ヲ知リ又ハ過失ニ因リテ之ヲ知ラサリシトキハ保険者ハ契約ノ解除ヲ為スコトヲ得サルコト商法第四百二十九条第一項ノ規定ニ依リ明ニシテ生命保険契約ヲ締結スルニ当リテハ保険者ハ其ノ嘱託セル医師ヲシテ被保険者ニ対シ生命ノ危険ヲ測定スルニ付キ重大ナル関係ヲ有スル現在症竝既往症アルヤ否ヲ診査セシムルモノナレハ右ノ診査ニ従事シタル医師カ被保険者ノ現在症竝既往症ヲ知リ又ハ過失ニ因リテ之ヲ知ラサリシトキハ保険者ニ於テ其ノ責任ヲ負担スヘキモノニシテ即前示法条但書ノ適用ヲ受クルモノト謂フヘク（大正十一年二月六日当院判決参照）而シテ其ノ嘱託ヲ受ケタル医師カ診査ヲ為スニ当リテハ被保険者ノ現在症ニ付テノミナラス既往症ニ付テモ細心ノ注意ヲ為ササルヘカラサルモノナルヲ以テ其ノ医師カ従来該被保険者ヲ診察投薬シタル場合ニ於テハ其ノ診察ノ結果ヲモ診査ノ資料ト為スヘキモノトス従テ其ノ医師ニ於テ被保険者ヲ診査スルノ際嘗テ其ノ者ヲ患者トシテ診察シタル場合ニ於ケル診断ノ結果ト相俟チテ生命ノ危険ヲ測定スルニ重大ナル関係ヲ有スル既往症現在症アルコトヲ判断シタルトキハ前示法

条ノ但書ニ所謂其ノ事実ヲ知リタルモノトシテ保険者之カ責任ヲ負担スヘク右ノ医師カ既往ノ診断ノ結果ト相俟チテ被保保者〔「被保険者」の誤植であろう〕ニ如上ノ疾病アルコトヲ診査シ得タリシニ拘ラス不注意ニ因リ既往ノ診断ノ結果ニ関スル調査ヲ怠リタル為如上ノ疾病ヲ判断スルコトヲ得サリシトキハ其ノ診査ニ付過失アルモノナレハ前示法条ノ但書ニ所謂過失ニ因リ之ヲ知ラサリシモノトシテ保険者之カ責任ヲ負担セサルヘカラサルモノトス原判決ノ認定シタル事実ニ依レハ被上告人（被控訴人）（保険会社）ハ中川りやうヲ被保険者トシテ上告人ト本件保険契約ヲ締結スルニ当リ保険医ナル訴外国府田整ヲシテりやうノ健康診断ヲ為サシメタルヲ以テ国府田整ハ大正五年六月十五日同人ヲ診査シタル所同医師ハ大正三年一月中同人ヲ診察シタル際急性腎臓炎ト診断シテ投薬シ其ノ後大正四年五月二十六日風邪ト診断シテ投薬シ同年六月二十五日膓加答児ト診断シテ投薬シタルコトアルニ拘ラス右診査ノ際同人カ生命ノ危険ヲ測定スルニ重大ナル関係ヲ有スル急性腎臓炎ニ罹リタルコトニ気付カス既往症トシテハ風邪位ナリトノりやうノ申告ニ基キ深ク糺サス保険加入ニ差支ナキモノト認メテ被上告人ニ報告シタルモノトス然レトモ保険医カ被保険者ヲ診査スルニ当リテハ既往症ニ付テモ特ニ注意ヲ為ササルヘカラサルコト前示説明ノ如クナレハ中川りやうヲ診査シタル国府田整ハ従来屡同人ヲ診察投薬シタル事跡ニ顧ミ若シ其ノ既往症ニ関スル記憶ヲ喚起セサリシトキハ処方録其ノ他ノ帳簿ニ依リ同人ニ生命ノ危険ヲ測定スルニ重大ナル関便〔「関係」の誤植であろう〕ヲ有スル既往症アリシヤ否ヲ調査セサルヘカラサルモノニシテ仮令該医師カ二年前ニ診断シタル既往症ヲ忘却シタリトスルモ前示ノ諸帳簿ニ依リ調査ヲ為シタランニハ容易ニ急性腎臓炎ノ既往症アリシコトヲ知リ得ヘカリシモノナランカ其ノ被保険者ノ申告ヲ軽信シテ右ノ調査ヲ為ササリシハ診査ニ付過失アリタルモノト謂ハサルヲ得ス然ルニ原院カ国府田整ニ於テ中川りやうノ診査ヲ為シタル際処方録其ノ他ノ帳簿ヲ調査シタリヤ否此等ノ帳簿ヲ調査スルトキハ同人ニ急性腎臓炎ノ既往症アリシコトヲ知ルコトヲ得ヘカリシヤ否ヲ審理セスシテ漫然『前記既往症ニ付診査投薬シタル時トノ間ニ二ケ年以上ヲ経過シ居リタレハ日々数多ノ患者ニ接スルヲ常トスル開業医カ通常ノ場合ニ於ケル注意ヲ以テスルトキハ前記既往症ニ付記憶ヲ呼ヒ起スコト能ハサルコトア

ルハ其ノ止ムヲ得サル所ナリト認ムルヲ妥当トスヘキカ故ニ右国府田整カ中川りやうノ本件既往症ヲ忘却シ居リタル事実ヲ以テ直ニ之ヲ知ラサルニ付過失アルモノト認定スルヲ得ス』ト判断シ因テ以テ被上告人ニハ商法第四百二十九条第一項但書ヲ適用スルコトヲ得サル旨判示シタルハ保険医ノ為スヘキ注意ノ程度ニ付誤解ヲ為シ且理由ニ不備アル不法ノ判決ニシテ上告論旨ハ其ノ理由アリ」（大判大一五・一一・二五民集五・一二）。

なお、保険診査においては被保険者の羞恥部の検査はしないのが普通である（大判大六・一二・四民録二三・二〇三六）から、診査医がこれに従って羞恥部の検査をせず、ために被保険者の羞恥部の疾患を知らなかったとしても、過失はない、とする多数の下級審判決がある（例えば【106】。その他同趣旨の判決として、東京地判大三・一二・二六新聞九九二・二九、東京控判大五・五・二三新聞一一三八・一九‖評論五商四三一、同大六・一一・二二新聞一三五五・一九‖評論六商六五五、東京地判大六(ワ)八三一号評論七商七八八などがある）。

【106】「鑑定人粟津清亮ノ鑑定ノ結果ニヨレハ一般ニ保険ノ診査医カ身体検査ヲ為スニ当リ被保険者ノ申出ナキ限リハ被保険者ノ羞恥嫌厭ノ念ヲ生セシムルカ如キ部分ノ診法ハ之ヲ避クルモノナルコトヲ認ムルヲ得ヘク本件ニ於ケル被保険者ノ癌腫手術ノ患部タル鼠蹊腺部ノ如キモ亦特ニ被保険者ノ申出ナキ限リ被告会社ノ診査医カ一般診査方法ニ従ヒ診査ヲ避ケシ部分ナリト目スヘク従テ被告カ之ニヨリ右既往症ヲ知ラサリシトスルモ之ヲ以テ被告会社ノ過失ナリト論断スルヲ得ス」（東京地判大四・一一・二八評論三商三五五。第二審判決は、東京控判大七・一〇・二一評論七商六七一——控訴棄却）。

（ロ）　外務員　外務員の知又は過失による不知は、当然には保険者の知又は過失による不知と同視せられるものではない【107】。このことは、代理店（東京地判昭四・一一・二八評論一九商二七）、出張所長（東京控判昭九・三・三一新聞三七〇七・一五‖評論二三商二六五‖新報三六七・一七）についても同様である。

【107】被保険者がその精神病の既往症を告知しなかった。外務員は被保険者と同村に居住しているもので、被保険者の既往症を知っていたものと認めえないでもない（原判決認定）。上告理由は、外務員の知はすなわ

ち保険者の知であることを主張した。

（判決理由）「上告人（保険金受取人）カ被保険者ノ既往症ヲ了知シ居リタリト主張スル竹岡雄治ハ被上告会社ノ外交員ニシテ保険加入ノ勧誘及其申込ノ取次ヲ為シ保険者ニ代リ保険料ヲ受領スル権限ヲ有シタルニ止マリ被上告会社ニ代リ被保険者ノ既往症ニ付告知ヲ受クル資格ヲ有セサリシモノナルコトハ原判決ノ認定シタルトコロナリ然ルニ保険者カ保険契約ノ締結ニ際シ被保険者ノ生命ノ危険測定ニ重要ナル事実ヲ知リタルヤ否又ハ之ヲ知ラサルニ付過失アリタルヤ否ハ被保険者ノ健康状態ヲ診査シタル医師若クハ保険者ニ代リ被保険者等ヨリ該事実ノ告知ヲ受クル権限アル者又ハ契約締結ノ意思決定ニ関与シタル者ニ付キ之ヲ決定スヘク単ニ保険者ノ外交員トシテ保険加入ノ勧誘及其ノ申込ノ取次ヲ為シ保険者ニ代リ保険料ヲ受領スル権限ヲ有スルニ過キサル者カ此事実ヲ了知シ居リタレハトテ之ヲ以テ保険者ニ故意又ハ過失ノ責アリト為シ難キヲ以テ論旨ハ理由ナシ」（大判昭九・一〇・三〇新聞三七七一・九）。

(4)　挙証責任

保険者が事実を知ったこと又は事実を知らないについて過失があることについては、これによって解除権が発生しないことを主張する保険金受取人側において挙証責任を負う【108】。

【108】「保険者カ重要ナル事実ヲ過失ニ因リ知ラサリシコトハ之ニ基キ保険者ニ保険契約解除ノ権利ナキコトヲ主張スル者ニ於テ立証セサルヘカラス子宮膣部ノ癌腫ヲ患ヒ病勢既ニ手術ヲ施スモ効ナキ程度ニ進ミタル者ニ在リテモ営養佳良特ニ皮下脂肪豊富ナルニ於テハ外観営養ハ初見何等目立チタル障害ナキモノアリトスレハ被上告会社ノ保険医カ被保険者戸田ヲカノ疾患ヲ外観上ヨリ察知セサリシハ必スシモ過失ナリト謂フ可ラスシテ其事実ハ過失ヲ主張スル上告人ニ於テ立証スヘキモノナリ然ルニ上告人ノ所論ハ被上告会社カ被保険者ノ疾患ヲ知ラサリシニ付過失ナシトスルニハ裁判所自ラ進テ被保険者ノ営養不良ナリシコトヲ証拠ニ依リ認定セサル可ラスト云フニ在レハ過失ノ立証責任上告人ニ在ルコトヲ度外視シタルノ議論ニシテ謬見タルヲ免レス」（大判大九・一一・二三民録二六・六五・【76】と同一判決）。

二　解除権の消滅

（一）　除斥期間

(1)　総説　告知義務違反にもとづく保険者の解除権は、保険者が解除の原因を知った時より一ヵ月間これを行使しないときは消滅する。契約の時より五年を経過したときも同様である（商六七八Ⅱ・六四四Ⅱ）。この解除の原因を知った時より一ヵ月又は契約の時より五年という期間は、時効期間ではなくて除斥期間である（大森・保険法一三三頁、大森＝田辺＝操野・生命保険実務講座四巻七二頁、松本・保険法一〇九頁、小町谷・海上保険法総論一巻一二三頁）。この期間経過後は契約の効力を争うことができないという意味で、これを不可争期間ということがある。

(2)　解除の原因を知ったとき　解除権は、保険者が解除の原因を知った時から一ヵ月間行使しないときは消滅するのであるが、ここに「解除の原因を知る」とは、どういう意味か。学説は、保険者が解除原因が存在するのではないかという疑をいだいただけでは、「解除の原因を知」ったことにはならず、解除権行使のため必要と認められる諸要件を確認することが必要であると解している（大森・保険法一三四頁、大森＝田辺＝操野・前掲七一頁、小町谷・前掲三四〇頁）。これに賛すべきものと思う。判例の立場は必ずしも明らかでないが、判例は、保険者が告知義務違反の客観的要件（すなわち、重要な事実の不告知又は重要な事項に関する不実告知）を知った時をもって解除の原因を知った時と解しているように見受けられる【109】【110】【111】。つぎに、保険者が解除の意思表示の相手方を知ることを要するか否か、やや問題であるが、法文の文字（「解除ノ原因」と言っている）からすれば、これを要しないと解するほかないであろう。なお、保険者が保険契約成立前に不告知又は不実告知の対象となった事実を知っているときは、解除権は発生しない。それ故、ここにいう「保険者が解除の原因を知った時」は、常に保険契約成立より後でなければならない。

【109】　「被控訴会社ハ被保険者トクノ死亡後大正四年三月中社員ヲ派シテトクヲ診断治療シタル医師宇多弘道ニ就キ取調ヲ為シタル結果トクノ疾患カ肺結核ナリシコト並同人ノ夫角市モ同病ニテ死亡シタルモノナルコトヲ聞知シ此時ニ於テ既ニ明カニ解除ノ原因タル事実ヲ覚知シタルモノナルコトヲ知リ得ヘキヲ以テ被控訴会社ニシテ有効ニ本件保険契約ヲ解除セントセハ其後一ケ月ノ期間内ニ解除権ヲ行使スルヲ要スルコトハ商法第四百二十九条第二項第三百九十九条ノ二第二項ノ規定ニ依リ明白ナルニ拘ラス双方争ナキカ如ク被控訴会社カ本件ニ付解除ノ通知ヲ発シタルハ大正四年五月六日（同月八日契約者市蔵方ニ到達）ニシテ控訴会社ニ於テ解除ノ原因タル事実ヲ覚知シタリト認ムヘキ同年三月ノ終ヨリ起算スルモ既ニ一箇月ノ期間ヲ経過シタル以後ノコトニ属スルヲ以テ右契約解除ノ意思表示ハ法律上其ノ効力ヲ生セサルモノト断セサルヲ得ス」（大阪控判大五・四・二二新聞一一二一・二九＝評論五商三五五）。

【110】　【109】の上告審判決である。

上告理由は、告知義務違反による解除をなしうるためには、告知義務者に不告知又は不実告知があるのみでは足らず、更に告知義務者の悪意又は重大なる過失があることをも要するのであるから、原判決のように保険者が被保険者の疾患及びその配偶者の死因を知った時をもつて直ちに解除の原因を知つた時と解するのは間違いであると主張する。

（判決理由）　「商法第三百九十九条ノ二第二項ヲ適用センニハ保険者カ解除ノ原因ヲ知リタル時ヨリ一ケ月間解除権ヲ行ハサルヲ以テ足ル而シテ本件ニ於テ上告会社カ解除ノ原因ヲ知リタルヤ否如何ナル時期ニ於テ如何ナル方法ニ因リ之ヲ知リタルヤヲ判断シ及ヒ証人宇多弘道ノ証言ヲ採用シ乙第五号証ヲ排斥スル如キハ原院カ其専権ヲ以テ為スヘキ証拠ノ取捨判断事実ノ認定ニ属スルヲ以テ之ヲ不法トスルニ過キサル本論旨ハ総テ理由ナシ」（大判大五・七・一二民録二二・一五〇一・判批、竹田・京法一二巻七〇六頁）。

【111】「原告ハ前記勇太郎ノ死亡後間モナキ昭和十二年一月二十五日頃熊地由松ト共ニ被告会社ノ社員タル代理店監督平賀玩策方ニ赴キ同人ニ対シ被保険者堀井勇太郎ニ前記肋膜炎ノ既往症アリタルコトヲ告ケ平賀ハ直チニ電話ヲ以テ右事実ヲ被告会社仙台支部ニ報告シタル事実ヲ認メ得ヘキニ依リ被告会社ニ於テ右違反事実ヲ覚知シタルハ同年一月中ニ属スルコト明白ニシテ証人矢島繁敏ノ証言其ノ他全証拠ニ依ルモ右認定ヲ覆スニ足ラス且被告ノ主張スル契約解除ノ意思表示カ原告ニ到達シタルハ同年三月九日ナルコト当事者間ニ争ナシ然ラハ被告会社ニ於テ右違反事実ヲ覚知シタルトキヨリ一ケ月内ニ契約解除権ヲ行使スヘキニ拘ラス該意思表示カ原告ニ到達シタルハ同年三月九日ナルヲ以テ其ノ間既ニ一ケ月ヲ経過シ被告ノ右解除権ハ商法第四百二十九条第二項第三百九十九条ノ二第二項ノ規定ニ依リ既ニ消滅ニ帰シタル後ナレハ右契約解除ノ意思表示ハ其ノ効力ヲ生セサルヘク被告ノ抗弁ハ爾余ノ争点ノ判断ヲ俟ツ迄モナク失当ナルコト明カナリ」（東京地判昭一三・六・一〇新聞四三〇四・八）。

一ヵ月の期間は、右に述べた意味において保険者が解除の原因を知った時から進行を開始する。保険者が解除の原因を知らない以上、この期間は進行を開始しない。保険者が解除の原因を知らないについて過失があると否とを問わない（竹田・民商一〇巻一六八頁）。

一ヵ月の期間の計算は、民法の定める一般の原則による。

(3)　保険者の補助者の知　この関係においても、保険者の補助者のいかなる者が知れば保険者が知つたことになるのかが問題となる。

支店長の知つた時がすなわち保険者の知つた時となるか否かが問題となつた事件がある。大審院は、支店が締結した保険契約については、支店が知つた時がすなわち保険者の知つた時となるが【112】、支店が保険契約を締結したのでないときは、たとえ支店が本店から解除原因の有無の事実調査を命ぜられたとしても、その支店が知った時をもって保険者が知った時と解することはできない【113】とした。後の点は恐らく正当であろう。しかしはじめの部分については疑問がある。解除の権限を有する者が知ることが必要なのではないかと思う（反対、竹田・民商一〇巻一六四頁。小町谷・海上保険法総論一巻三四一頁は、保険者が保険契約解除の事務に使用している者は保険者のためにその事務を担当し、解除原因の存在を発見した場合に遅滞なくこれを報告する義務を負担する者であるから、この者の過失による不利益を保険契約者に転嫁するのは妥当でない、とされる）。なお、今日では、支店長あるいは支社長に対しては保険契約締結の権限は与えられていないのが通常である（大森・田辺・操野・前掲六〇頁）。

【112】　案件の保険契約について解除の意思表示がなされたのは、昭和八年一月一四日である。被保険者の死亡原因既往症等の調査を命ぜられた支店長が解除の原因を知ったのは、その前年である昭和七年の一二月一三日、これが本店へ報告せられたのは、その翌々日である昭和七年一二月一五日である。支店長が知った時から起算するものとすれば、本件の解除は一ヶ月の期間を経過して後に、従って解除権が消滅した後になされたことになる。それに対し本店が報告を受けた時から起算するものとすれば、解除の時には一ヶ月の期間は未だ経過しておらず、従って解除権は未だ消滅していないこととなる。支店長の知った時がすなわち保険者の知った時になるのかどうか。原審は、本件支店長は契約の解除をなす代理権を有せず、また被保険者の死因等の調査につき保険者に代って報告を受ける権限を有しないから、支店長の知はすなわち保険者の知となるものではないとし、本件解除を有効とした。受取人側が上告した。上告理由は、支店長の知がすなわち保険者の知となると主張する。大審院は、保険契約が支店長によって締結せられたのであれば、支店長が解除の原因を知ればすなわち保険者が知ったことになると述べ、本件保険契約が支店長によって締結せられたものかどうかの判断をしていないことを理由として、原判決を破毀した。判決理由はつぎの通りである。

「生命保険契約ハ継続的性質ヲ有スルモノニシテ保険契約者ハ保険期間中毎年一定ノ時期ニ保険料ヲ支払フヲ通常トシ又危険カ変更若ハ増加シタル場合又ハ保険金受取人ヲ指定若ハ変更シタル場合等ニ於テハ保険者ニ対シ其通知ヲ為スヘキコトハ法ノ命スル所ナリ（商法第四百三十三条第四百十一条第四百二十八条ノ四参照）尚保険契約ニ因リテ生シタル権利ノ譲渡ニ付テハ其対抗要件トシテ保険者ニ通知ヲ為スコトヲ要スヘク其ノ他約款上保険者ニ通知ヲ為スコトヲ要スル場合亦尠シトセス然ル所契約締結ノ権限ヲ有スル保険会社ノ支店カ締結シタル契約ニ於テハ特別ノ約款ナキ限リ其ノ支店ハ保険料ヲ受領シ其ノ他前記ノ如キ各種ノ通知ヲ受クル権限アリト為スヘキモノトス蓋シ生命保険契約ハ一定ノ期間存続スルモノナレハ之ヲ締結シタル支店ハ其ノ存続中発生スル諸般ノ事項処理ノ任ニ当ルヘキハ取引ノ常態ナリト為スヘキヲ以テナリ然ラハ商法第四百二十九条ニ依リ生命保険ニ準用セラルル同法第三百九十九条ノ二第二項ニ所謂保険者カ解除ノ原因ヲ知リタル時トハ支店ノ締結シタル契約ニ付テハ当該支店カ其ノ原因ヲ知リタル時ヲモ包含スル趣旨ナリト解スヘク仮令解除権カ保険会社ノ内規ニ依リ本店ニ専属スル場合ト雖モ此ノ解釈ヲ異ニスルノ必要ナキコトハ以上説示シタル所ニ依リ自ラ明瞭ナルヘシ又斯ク解スルモ不当ニ保険者ノ利益ヲ害スルモノニアラス何トナレハ支店カ解除ノ原因ヲ覚知シタル時ヨリ起算スル一ケ月ノ期間ハ本店ヲシテ其ノ解除権ヲ行使スルヤ否ヤヲ考慮セシムルニ十分ナレハナリ果シテ然ラハ原判決カ被上告会社ノ金沢支店長ハ被上告会社ニ代リ契約ヲ解除スルノ権限ヲ有セサルコトヲ理由トシ同支店長カ解除ノ原因ヲ覚知シタル時ヨリ一ケ月ノ経過後ニ為サレタル解除ノ意思表示ヲ有効ナリト判示シタルハ法規ノ解釈ヲ誤リ為ニ本件契約カ被上告会社ノ金沢支店ニ依リ締結セラレタルモノナリヤ否ヤノ点ニ付判断ヲ遺脱スルニ至リタルモノニシテ破毀ヲ免レス」（大判昭一四・三・一七民集一八・一五六。判批、竹田・民商一〇巻一六四頁、石井・判例民事法昭和一四年度一三事件）。

【113】【112】の事件の差戻後の上告審判決である。原審は、本件保険契約は支店長によつて締結せられたものではないことを明らかにした。しかし、従つて支店長の知は保険者の知とはいえない、という結論は出さず、――それと反対に――本店より解除原因の有無の調査を命ぜられた以上、これを達するために必要な事

項については支店長は保険者を代理する権限を有するものとし、従つて支店長が知つた時が保険者の知つた時となると判示した。保険会社側が上告した。大審院は、支店長自ら保険契約を締結したのでないときは、たとえ本店から保険契約の解除原因の有無の事実調査を命ぜられたとしても、支店長が解除原因を知つた時をもつて保険会社が知つた時と解することはできないとして、また原判決を破棄した。

（判決理由）「商法第六百七十八条第二項第六百四十四条第二項（旧商法第四百二十九第第二項第三百九十九条の二第二項）に所謂『保険者が解除の原因を知りたる時』とは支店の締結したる契約に付ては当該支店が其原因を知りたる時をも之を包含する趣旨なりと解するを相当とすること当院が前上告判決に於て判示したる所なり今原判決を見るに原審は其の挙示する証拠に依り本件保険契約は上告会社新潟出張所を経由して直接同会社との間に締結せられたるものにして同会社の金沢支店は何等該契約に関与し居らざるのみならず右金沢支店長には右保険契約を解除するに付て同会社を代理し得べき権限なき旨判示すると共に其後段に於て『金沢支店長に対し上告会社本店より被保険者シウの死亡に付其の契約解除原因有無の事実調査を命ずるに於ては該調査事務は上告会社職務章程第百七条に依り同支店の担任処理すべき事務と為りたること明瞭にして同支店長は之が事務遂行に必要なる一切の事項に付上告会社を代理し得べき権限を有するものと謂はざるべからず』と為し同支店長が本件各保険契約の解除原因を知りたる時を以て上告会社が知りたる時なりと為すべき旨判示したること判文上明白なり然れども右認定の如く自ら契約締結を為したるに非ざる金沢支店が本店より係争保険契約に付解除原因有無の事実調査を命ぜられたる場合には判示の如き会社職務章程に従ひ当該事項を調査し其の結果を本店に報告すべき責務あるべきは当然なれ共之が為めに金沢支店は該保険契約に付自ら之を締結したる支店と同様の地位を取得し契約上の各種の通知を受くるが如き権限を有するに至るものに非ざれば勿論本店より特別の委任を受けずして直に右調査に基き解除権の有無及之を行使すべきや否やを決定したる上被上告人に対し解除の意思表示を為すべき権限をも有するものと速断するを得ず蓋し此等の行為は金沢支店の命ぜられたる右調査事務の範囲に属せず且調査事務の遂行に必要なる行為にも属せ

ざること明なればなり然るに原判決は本件二口の契約は金沢支店に於て何等関与したるものに非ずと認定しながら解除原因有無の事実調査を命ぜられたる以上金沢支店長が解除原因を知りたる時は即上告会社の之を知りたる時と解し此の時より商法第六百四十四条第二項の一ヶ月の期間を算定すべきものと為したるは前記法条の解釈を誤りたるか若は審理不尽の違法あるものと謂ふべし」（大判昭一六・九・三法学一一・四一八）。

(4)　五年の期間内に被保険者が死亡したとき　解除権は契約成立の時から五年を経過したときにも消滅するが、この五年の期間が満了する直前に被保険者が死亡して、保険者は五年の期間満了後に至つて告知義務違反の事実を知つたような場合は、どうなるか。五年の期間が経過した以上、もはや解除権は消滅し、保険者においてこれを行使するに由ないものか。それとも、五年の期間内に保険事故が発生した以上、解除権は消滅せず、保険者は五年の期間経過後においても解除権を行使しうるものか。昭和一三年二月二一日の東京地裁判決は前の立場をとり、保険事故の発生の時期のいかんを問わず五年の期間が経過すれば解除権は消滅する、とした【114】。商法の規定の文字からすれば、かように解するほかないであろう（反対、野津・保険法二一〇頁）。

【114】　原告保険会社の保険約款二一条三項に、告知義務違反にもとづく契約の解除権は、「契約ノ時ヨリ三ケ年又ハ会社カ解除ノ原因ヲ知リタル時ヨリ一ケ月ヲ経由シタルトキハ消滅ス」る旨の規定がある。これに関して保険会社側はつぎのように主張した。

「本件契約ニ於テハ上野山よね（被保険者）ハ契約締結ノ時ヨリ三年内ニ死亡シタルヲ以テ、保険約款第二十一条第三項ハ其ノ適用ナキモノナリ、商法第四百二十九条第三百九十九条ノ二第二項ハ『前項ノ解除権ハ保険者カ解除ノ原因ヲ知リタルトキヨリ一ケ月之ヲ行ハサル時ハ消滅ス、契約ノ時ヨリ五年ヲ経過シタルトキ亦同シ』ナル旨ノ規定アリテ其ノ立案当時ノ政府委員ノ答弁トシテハ、只単ニ解除権ヲ未解決ノ状態ニ永ク存在セシムルヲ不安ナリトシテ此ノ規定ヲ設ケタル旨説明セシカ如キモ、右答弁ノ趣旨ハ、恐ラク保険者カ解除ノ原因ヲ知リタル時ヨリ一ケ月経過セル場合ニ、解除権カ消滅スルコトニ対スル解釈ナルヘク、契約ノ時ヨリ五年経過ニ対スル解釈ハ、現在ノ通説ニ依レハ告知義務ノ重要性ヲ保険関係ヨリ消滅セシムル意ニ解シ居レリ、現時我国ノ生命保険業界ニ於テハ、之ト同一体裁ノ文言ヲ約款中ニ設クルコト一般ニシテ原告会社ノ約款第二十一条第三項ハ商法所定ノ五年ノ期間ヲ三年ニ短縮シタルカ其ノ立案ノ所以ハ、商法ノ規定ニ関スル政府委員ノ説明トハ全然異リ、凡ソ生来ノ生命ノ危険ヲ測定スルニ足ル重要事実カ存在シ且之カ告知ナカリシトスルモ被保険者カ無事ニ三年ヲ経過シ生存スルニ於テハ最早過去ノ重要事項カ一面ニ於テハ、其ノ重要性ヲ喪失スルノミナラス、仮ニ三年経過後ニ於テ、前ノ重要事項カ因ヲ為シ、死亡ノ結果ヲ招来シタリトスルモ、三年間ノ保険料ノ支払ヲ受クルコトニ依リテ之ト対立スル保険金ノ支払ハ保険者ニ対シ損害ヲ与ヘサルコト統計上証明セラレ、固体性ヲ有スル保険事業ノ経営ニ支障ヲ来ササルモノトスルカ為ナリ、故ニ若シ不告知ニ係ル既往ノ重要事項ニ原因シ三年内ノ早期死亡ヲ惹起シタル場合ニ於テハ、保険者ハ保険金ニ対立スヘキ保険料ノ支払ヲ受クルコトナクシテ、契約者又ハ被保険者ノ悪意重過失ニ因リテ損失ヲ蒙リ、保険ノ固体性ヲ阻害スル結果ヲ来スモノト謂フヘキヲ以テ、斯ル場合ハ本件ノ如ク仮ニ契約ノ時ヨリ三年ヲ経過シタル後ト雖モ原告ハ解除権ヲ喪フコトナク換言スレハ、『契約ノ時ヨリ三年』トアルハ、契約ヲ為シタル時ヨリ三年間保険事故発生スルコトナクシテ経過シタルトキハ、解除権消滅ストノ意味ニ解スヘク、本件ニ於テ上野山よねハ（中略）契約ノ時ヨリ三年内ニ死亡シタルモノナルヲ以テ、約款第二十一条第三項ノ規定ノ適用ヲ受ケス、原告ノ為シタル契約ノ解除ハ適法ナルモノトス」

（判決理由）「当事者間争ナキ原告会社保険約款第二十一条第三項ノ規定ヲ商法第四百二十九条第二項、第三百九十九条ノ二第二項ノ規定ト対照スルニ後者ニハ契約ノ時ヨリ五年トアリテ、前者ハ之ヲ『三年』ニ短縮シタル点ニ相違ヲ見ル外、両者ノ立言ハ殆ント同一ナリ、商法第三百九十九条ノ二ニ於テ、旧商法第三百九十八条ノ規定ヲ改正シタル理由ハ、保険契約者カ告知義務ニ違反セシ場合ニ於テ、旧法ノ如ク当然契約ヲ無効ニ帰セシムルハ、当事者双方ノ為不便ナル場合ヲ生シ、保険事業ノ発達ヲ阻害スルノ結果ヲ招クノ故ナク蓋シ保険事業ハ団体性ヲ有シ大規模ナル経営ノ下ニ統計ノ学理ト事業上ノ経験ヲ応用スル一ノ技術ナルカ故ニ保険事故ノ発生ニ基ク保険者ノ責任ハ之ヲ保険事業遂行ニ可能ナル程度ニ於テ一定ノ範囲ニ限定スレハ足ルヘク告知義務制度モ亦必スシモ其ノ基礎ヲ道義的理由ニ求ムルノ要ナキモノトシ現行法ハ之ニ対シ保険者ニ与フルニ契約ノ解除権ヲ以テスルニ止メ且無制限ニ解除ヲ認ムルニ於テハ結果ニ於テ当然無効ノ場合ト径庭ナキニ至ルヘキヲ以テ保険者カ解除原因ヲ知リタル時ヨリ一ケ月又ハ契約ノ時ヨリ五年ナル除斥期間ヲ定メタルモノニシテ其ノ除斥期間ヲ定メタル法律ハ当事者ノ関係ヲ永ク未確定ニ置ク弊害ヲ避クルコトヲ目的トシ其ノ期間ヲ那辺ニ定ムルカハ、統計ト事業上ノ経験ニ徴シタルモノト解スヘキモノトス故ニ該規定ハ保険契約者ノ不利益ニ変更シ得サル点ニ於テ片面的強行規定ナルモ解除権ノ除斥期間ヲ三ケ年ニ短縮スルコトハ毫モ支障ナキヲ以テ原告会社保険約款第二十一条第三項ノ規定ハ、商法第三百九十九条ノ二第二項ニ先立チテ、当事者間ノ法律関係ヲ規律スルモノト謂フヘク、而モ右商法及約款ノ規定ハ期間ニ長短ノ差アルニ止マリ、其ノ余ノ点ニ於テハ全ク同一ナルコト前叙ノ如ク之カ立法趣旨ニ付テモ亦敢テ異別ニ解釈スヘキ何等ノ理由ナシ、即本件約款ノ解釈ニ付テモ右立法趣旨ニ鑑ミ契約締結ノ時ニ於テ如何ナル事情アリトモ該規定期間ノ経過ニヨリ解除権ハ絶対ニ消滅スルモノト解スルヲ相当トシ之ニ反シ契約ノ締結後保険事故発生スルコトナクシテ期間経過シタル場合ニ於テノミ解除権消滅ストノ趣旨換言スレハ若シ期間内ニ保険事故発生セルカ、仮令期間経過後ニ於テモ解除権ヲ行使シ得トノ趣旨ニ解スヘキニ非ス、尤モ前者ノ如ク解センカ、保険契約者カ故意ニ保険事故発生ノ通知ヲ遷延セシメタル場合、或ハ然ラストスルモ期間切迫シテ保険事故発生シタル為期間内ニ解除権行使ノ手続ヲ採リ得サル場合等ニ不都合ナル結果ヲ生スルカ如キモ保険契約者ハ、保険事故ノ発生シタルトキハ、遅滞ナク之ヲ保険者ニ通知スヘキ義務ヲ負担シ居ルヲ以テ之ニ違背シタル場合ニハ反対ニ損害賠償ノ責ヲ負フヘキノミナラス、仮ニ後者ノ如ク解シタルトスルモ、期間経過ノ直後ニ於テ保険事故発生シタル場合ニモ、殆ント紙一重ノ不都合ナル事例ヲ生シ得ヘク、之ヲ要スルニ斯ル結果ハ法律カ各種ノ期日期間ヲ法定シタル場合ニハ免レ難キトコロナリト云フヘク、尚亦告知義務違反ヲ原因トスル契約ノ解除ハ保険事故ノ発生トハ本来何等ノ関係ナク行ハレ得ヘキモノニシテ事故ノ発生ナクトモ告知義務違反ノ事実タニアラハ保険者カ解除権ヲ行使スルニ毫モ妨ケナキ次第ナレハ偶々事故ノ発生カ期間経過ノ前ナルト後ナルトニ因リ解除権ノ存否ヲ決セントスルカ如キハ理論上モ根拠薄弱ナルヲ免カレス、加之、後者ノ如ク解センカ告知義務違反ノ場合ニハ、保険者ハ期間経過後何時タリトモ解除権ヲ行使シ得ルノ結果トナリ期間ヲ定メタル法ノ精神ヲ没却スルコトノ不当ナル事洵ニ明白ナリト云ハサルヘカラス、以上説明シタルトコロニヨリ、保険事故カ保険約款規定ノ三ケ年ノ期間内ニ発生シタル場合期間経過後ト雖モ契約ヲ解除シ得ル旨ノ原告ノ主張ハ当裁判所ノ到底左袒シ得サルトコロニシテ本件ニ於テ保険契約締結後三年ヲ経過シタル後為シタル契約ノ解除ハ其ノ効ナキモノト断スルノ外ナシ」（東京地判一三・二・二一新報五〇五・八〇）。

(5)　特約による変更　近時の普通保険約款においては、「保険契約が契約日から二年以上継続した場合」に解除権が消滅すると定めているものが多い。これは、商法の定める五年の期間を二年に短縮するとともに、この期間内に被保険者が死亡することなくこの期間を経過したときに解除権が消滅する旨を定めたものと解される。かような定めは、保険契約者などを商法の規定するところよりも不利な立場に立たしめるものではなく、差支えないというべきであろう（大森・田辺・操野・前掲七二頁）。そしてかような約款規定の下においては、二年の期間が経過する前に被保険者が死亡したときは、解除権は二年の期間の経過によって当然に消滅することなく、商法の定める解除の原因を知ってより一ヵ月又は契約の時より五年の期間が経過することによって消滅することとなると解される。

なお、商法の定める一ヵ月又は五年の期間を特約によって延長することは、許されないと解すべきであろう。

(6)　挙証責任　一ヵ月の期間又は五年の期間の経過については、いずれの当事者が挙証責任を負うか。大正六年五月八日の大審院判決【115】は、一ヵ月の期間につき、保険者が挙証責任を負うという。学説はこれに反対であって、保険契約者側においてその不遵守を立証することを要するとする（大森＝田辺＝操野・前掲七二頁、小町谷・前掲三四三頁。ドイツの判例・学説も同様である――RG. 28. 3. 1930 RGZ. Bd. 128 S. 120; Bruck-Möller, a. a. O., § 20 Anm. 4）。商法の規定の上では、解除権は告知義務違反があることによって発生し、一ヵ月又は五年の期間の経過はかくして一たん発生した解除権の消滅原因となっていることを考えると、学説の立場が正当であると思う。

【115】「保険者カ保険契約者ニ於テ商法第四百二十九条第一項ノ告知義務ニ違背シタル理由トシテ同条第二項第三百九十九条ノ二ノ規定ニ従ヒ解除権ヲ行使シタル場合ニ於テ其解除ノ原因ヲ知リタル日時カ解除権行使ノ時ヨリ遡算シテ一箇月ノ期間内ニ在リタリトノ事ハ之ヲ主張スル保険者ニ於テ之ヲ立証スヘキ責任アリト謂ハサルヘカラス何トナレハ右ノ事実ハ保険者ノ為シタル解除権ノ行使ヲ適法ナラシムル条件ナルカ故ニ此条件ヲ充実シタリトノコトハ解除カ適法ニシテ一旦成立シタル保険契約ノ消滅ニ帰シタルコトヲ主張スル保険者ニ於テ証明スヘク相手方カ解除権行使ノ通知ヲ受ケタル事実ニ争ナキ一事ハ毫モ右挙証責任ノ所在ヲ変更スヘキモノニ非サレハナリ」（大判大六・五・八判例二巻民事七〇六頁）。

(二)　放棄　解除権は、以上述べたところのほか、保険者がこれを放棄することによっても消滅する。放棄は、明示的又は黙示的たりうる。いかなる場合に黙示の放棄があったと見るべきかは、各場合の解釈問題である。解除がなされた後に保険者が既収保険料相当額を支払った場合につき、これは当然に解除権の黙示の放棄となるものではない、とした判決がある【116】。正当であろう（なお、民五四〇II参照）。

【116】「原告ハ仮リニ右解除カ正当ニ為サレタリトスルモ被告会社ハ其後即チ大正十五年八月中約定保険金ノ一部トシ金百九十四円卅二銭ノ支払ヲ為シタル以上反証ナキ限リ約定保険金六百円也全部ニ付之カ支払義務ヲ承認スルト共ニ右解除権ヲ黙示的ニ抛棄シタルモノナリト主張シ被告ハ之ヲ否認シ該金額支払ハ単ニ既収保険料相当額ヲ恵与金トシテ支払ヒタルニ過キスト答フルニ依リ之カ当否ヲ審究スルニ既ニ前認定ノ如ク本件保険契約カ適法ニ解除セラレタリト為ス以上更ニ詳言スレハ解除ノ効果カ適法ニ発生シタリト認ムル以上其後ニ生シタル事由ニ依リ右解除権抛棄ノ有無ヲ論議スヘキ余地ナキハ法理上明白ナルノミナラス右保険契約解除後ニ前掲既収保険料相当額ノ金銭ノ授受アレハトテ直チニ反証ナキ限リ約定保険金ノ一部トシテ支払ヲ為シ且又全部ノ支払ヲ承認シタリト為スハ推理ノ原則ニ反スルノミナラス此点ニ関スル立証責任ノ謬見ニ生スルモノト謂フヘク反ツテ原告コソ被告会社ノ右金額ノ支払ヲ以テ約定保険金ノ一部トシテ支払ヒ且全額ノ支払ヲ承認シタリト認ムルニ足ル立証ヲ為ササルヘカラス然ルニ何等立証ナキ本件ニアリテハ之ヲ採ツテ以テ原告主張ヲ正当ナリトスルヲ得サルヤ勿論ナリ」（東京区判昭二・七・二二新聞二七五六・一〇）。

三　解除権の行使

（一）　総説　　解除は相手方に対する意思表示によってする（民五四〇I）。その到達によって解除の効力を生ずる（民九七I）。

（二）　解除権者　　解除をなしうるのは、保険者である。

（三）　相手方　　解除の意思表示の相手方は保険契約者である。保険契約者が数人いるときは、解除の意思表示はその全員に対してしなければならないのが原則である（民五四四Ⅰ）。しかし、普通保険約款では、「保険契約者が数人あるときは、その『代表者』一人を定めることを要し、この者は他の保険契約者を代理する。また、この『代表者』が定まらないか、又はその所在が不明であるときは、保険者が保険契約者の一人に対してした行為は他の者に対しても効力を生ずる」とする趣旨の規定を設けるのが常である。これによれば、解除の意思表示は保険契約者の「代表者」、又は、この代表者が定まらず若しくはその所在が不明であるときは、任意の一人の保険契約者に対してすれば足りることとなる。

解除の当時保険契約者が死亡しているときは、解除の意思表示はその相続人に対してしなければならない【119】。相続人が数人いるときは、その全員に対してしなければならない【117】。相続人がいないときは、相続財産管理人の選任を求め、これに対して解除の意思表示をすることができる【118】。他人のためにする保険における保険金受取人に対して解除の意思表示をしても、当然には解除の効力を生じない【119】。

【117】「控訴人ノ為シタル右契約解除ノ意思表示ニヨリ右契約カ果シテ解除セラレタリヤ否ヤヲ按スルニ凡ソ契約ノ解除ハ一方ノ当事者ニ付遺産相続開始シ数人カ共同相続ヲ為シタル場合ニ於テハ其相続人全員ニ対シテノミ之ヲ為スコトヲ得ヘキモノナルヲ以テ被控訴人両名カ浅見義陵（保険契約者兼被保険者）ノ遺産相続人タルコトニ争ナキ以上ハ控訴人カ義陵ト締結シタル保険契約ヲ解除スルニ付キテハ須ラク被控訴人両名ニ対シテ其意思表示ヲ為スヘク被控訴人浅見只作一人ニ対シテ之カ意思表示ヲ為スモ之ニヨリ契約解除ノ効果ヲ発生スルモノニアラス」（東京地判大四・一〇・二八新聞一一二二・二八＝評論四商三七八）。

【118】「保険契約者仲下藤次郎ニハ其妻タル被控訴人以外ニ其家族ナク其死亡当時家督相続人ナク今日ニ

於テモ尚ホ未タ家督相続人ナシト雖モ是レ其当時ニ於テ或ハ今日ニ於テ現ニ家督相続人ナシト云フニ止マリ絶家ノ場合ニ於ケルカ如ク家督相続人ナキコトカ確定シタルモノニ非スシテ民法ノ規定ニ依リ尚ホ家督相続人ヲ生シ得ヘキ場合ニシテ是レ正シク民法第千五十一条ニ所謂相続人アルコト分明ナラサルトキト云フニ該当シ相続人曠欠ノ規定ヲ適用スヘキ者ナルヲ以テ控訴会社ハ利害関係人トシテ裁判所ニ請求シテ亡仲下藤次郎ノ相続財産ノ管理人ノ選任ヲ求メ其管理人ニ対シテ保険契約解除ノ意思表示ヲナスコトヲ得ヘク控訴会社カ解除ノ原因ヲ知リタル時ヨリ一ケ月内ニ此等ノ手続ヲ完了スルコトハ固ヨリ可能ノコトナリトス」（大阪控判大六・一・三一新聞一二二五・二〇）。

【119】　上告理由が、解除の意思表示は保険金受取人に対してすることができる、と主張したのに対し、裁判所はつぎのようにいう。

「生命保険契約ニ於テ第三者ヲ以テ保険金額ヲ受取ルヘキ者ト定メタル場合ニ於テモ尚ホ第三者ニ於テ其利益ヲ享受シタル保険金額ヲ受取ルヘキ権利及此権利ヲ行使スルニ必要ナル義務ニ関スル部分以外ノ保険契約ニ因ル法律関係ハ依然該契約ノ当事者タル保険者ト保険契約者トノ間ニ存スルモノナルヲ以テ随テ保険契約者ノ保険者ニ対スル権利義務ハ保険契約者死亡ノ場合ニ於テハ其相続人ニ移転スヘキモノニシテ保険金額ヲ受取ルヘキ者ニ於テ此等ノ権利義務ヲ承継スヘキモノニ非スト謂ハサルヘカラス故ニ保険者カ商法第四百二十九条第一項ニ従ヒテ為ス保険契約解除ノ意思表示モ保険契約者死亡後ハ之ヲ保険契約者ノ相続人ニ対シテ為スヲ要スルモノニシテ保険金額ヲ受取ルヘキ者ニ対シテ之ヲ為スヘキモノニ非ス然ラハ如上ノ場合ニ於テ保険者カ保険金額ヲ受取ルヘキ者ニ対シテ為シタル保険契約解除ノ意思表示ハ何等ノ効力ヲ生セサルモノニシテ無効ナリト為ササルヘカラス」（大判大四・二・七民録二一・八三。判批、松本・法協三四巻七号一〇九頁＝私法論文集三巻一六八頁、竹田・京法一一巻八号一〇〇頁、商法判例批評一巻七〇頁）。

普通保険約款においては、保険契約者又はその所在が不明であるか、その他正当の事由によつて保険契約者に解除の意思表示をなしえないときは、被保険者又は保険金受取人に解除の意思表示をする旨を定めるのが通例である。被保険者又は保険金受取人に解除の意思表示を受領する代理権を認めたものと解される。

なお、民法第九七条の二は、意思表示をする者が相手方又はその所在を知りえない場合のために、公示の方法によって意思表示をすることを認めている。

（四）　内容　解除に際しては、どの保険契約を解除するものであるかを明示すれば足り、解除権の発生原因たる具体的事実を明示する必要はない（東京地判昭八・九・一一新聞三六一二・七、同昭一五・三・一四新聞四五四六・一二）（ドイツ法につき同旨、Bruck-Möller, a.a.O., § 20 Anm. 12. 反対、小町谷・前掲三一〇頁）。

（五）　方式　解除の意思表示の方式については、法律に特別の規定はない。

四　解除の効果

（一）　総説　保険者が告知義務違反にもとづき保険契約を解除したときは、その解除は、将来に向ってのみその効力を生ずる（商六七八Ⅱ・六四五Ⅰ）。従って、保険者は、そのすでに受領した保険料を返還する義務を負うものではなく、かえって解除の時までの保険料を請求することができる。しかし、保険金支払義務は原則として遡及的に消滅する。すなわち、保険者は、保険事故発生の後に解除をした場合でも、保険金を支払う義務を負わない（商六七八Ⅰ・六四五Ⅱ本文）。もしすでに保険金の支払をしたときは、その返還を請求することができる（商六七八Ⅱ・六四五Ⅱ本文）。ただし、保険契約者において保険事故の発生がその告げ又は告げなかった事故にもとづかないことを証明したときは、保険者は保険金の支払をなす義務を負う（商六七八Ⅱ・六四五Ⅱ但書）。

（二）　因果関係の不存在　　右に述べたように、保険事故の発生が告知義務違反の対象となった事実にもとづかないものであるときは、保険者は保険金支払の義務を免れない。従って、ここでは、保険事故の発生と告知義務違反の対象となった事実との間の因果関係の存否が問題となっているといえる。この両者の間に因果関係がないときは、保険者は保険金の支払をなす義務を負うわけである。これは、保険契約者側の者の利益を保護するという見地から、かような場合には結果的にみて保険者は告知義務違反によって事実上何ら不利益を受けることにならない、という考えにもとづいて設けられた法則であると思われる（判例にもこれと同趣旨の説明をしているものがある【120】）。

【120】　「抑法律カ保険契約締結ノ際保険契約者ニ対シ所謂告知義務ヲ課セル所以ハ保険者ヲシテ危険測定ニ必要ナル知識ヲ得セシメントスルニ外ナラス故ニ保険契約者ニ仮令告知義務違反ノ事実アルモ現ニ発生セル危険即事故ト該義務違反トノ間ニ全然因果関係ナキトキハ保険者トシテハ相手カ義務ヲ遵守シタリトスルモセサリシトスルモ結局同一ニ帰シ自己ニ取リテハ必要ナル智識ニ何等増減セル所ナカリシ場合ナルヲ以テ危険ノ発生セル以上法ハ保険者ヲシテ尚保険金ノ支払ヲ為サシムルモノニシテ商法第四百三十三条第三百九十九条ノ三第二項但書ハ此ノ趣旨ニ出テタルモノトス」（大判昭四・一二・一一新聞三〇九〇・一四＝評論一九商二一九）。

しかしながら、かように因果関係不存在の場合に保険者に保険金支払の義務を負わせることの立法上の当否は、甚だ疑問である。大体、告知義務違反があった場合に保険者に契約の解除権を認めるのは、保険者が問題の事実を知っていたならば保険契約を締結しなかったか、またあるいは少なくとも同一の条件をもって保険契約を締結しなかったであろうと認められるからである。保険事故が発生した場合において、これと問題の事実との間に因果関係の存在が認められないとしても、それは一つの偶然にすぎなく、問題の事実との間に因果関係の存在を肯定しうるような形で保険事故が発生することも、また充分に可能であつたはずである。保険者は、初めから保険契約を締結していなかつたのなら、いずれの場合でも保険金支払の義務を負わない。従つて、たまたま因果関係がないということを理由に、保険者に保険金支払義務を負わせるのは、保険者に解除権を認める趣旨に合致しないものがあるといわねばならない。それ故、本但書の解釈としては、保険者が保険金支払義務を負うに至る範囲が狭くなるように解するのが適当であろう（大森＝田辺＝操野・前掲六九頁。なお、竹田・商法の理論と解釈三九二頁以下参照）。

昭和四年一二月一一日の大審院判決は、この点に関して、「右但書を適用するには、事故と告げ又は告げざりし事実との間に全然因果関係なきことを必要とし、若し幾分にても其の間に因果の関係を窺知し得べき余地存せんには、右の但書はこれを適用すべからざること論を俟たず」とし、不告知にかかる被保険者の黴毒性脊髄炎の既往症とその死因たる尿毒症との間の因果関係の存在を否定した原判決を破毀した【121】。

【121】「……今本件ニ就テ観ルニ原判決ハ保険契約者ニシテ且被保険者タル久保順吉ノ死亡ハ契約締結ノ際告ケサリシ所ノ既往症黴毒性脊髄炎ト何等関係ナキ尿毒性ニ因ルモノニシテ既往症ヲ告ケサリシ事実ト死亡トノ間ニハ因果ノ関係ナシト判示シタレトモ之カ後段ニ於テ黴毒性脊髄炎ニ罹リシ者カ尿毒症ニ依リテ死亡スル場合ニハ通常死期ヲ早カラシムル事実アルコトヲ認定セリ果シテ然ラハ該既往症ハ順吉ノ死亡ト未タ全然因果ノ関係ナシト断スヘカラス蓋生命保険ノ見地ヨリスレハ死亡ト云フ中ニハ死期ノ如何ヲモ包含シテ解スヘケレハナリ」（大判昭四・一二・一一新聞三〇九〇・一四＝評論一九商二一九）。

これによれば、いわゆる因果関係の範囲はすこぶる広い。告知義務違反の対象となつた事実が直接の又は主たる原因となつて保険事故が生じたというような関係があることは必要でない。かえつて、告知義務違反の対象となつた事実と保険事故との間に如何なる意味においても因果関係がないと認められるときにのみ、保険者は保険金の支払をなす義務を負うこととなる。思うに、本但書については、その適用をできる限り制限するのを妥当とすること前述の通りであるから、本判決の理論は極めて正当と評すべきであろう。

つぎにかかげる昭和一一年二月一九日の大審院判決も、これと同様の理論に立脚しているものといえる【122】。

【122】「原審ハ被上告人ノ亡妻ニシテ被保険者タル有友松衛ハ本件保険契約成立当時妊娠三ヶ月ナルニ拘ラス妊娠中ニ非サル旨虚偽ノ告知ヲ為シ且該契約成立前ナル昭和二年九月以降同四年四月頃迄慢性胃加答児及気管支加答児ニ罹リ居リ右罹病ノ事実ハ同人ノ生命ノ危険測定ニ関スル重要ナル事項ナルニ拘ラス之ヲ保険者タル上告会社ニ告知セサリシ事実アルモ右松衛ノ死因ハ急性肋膜肺炎ニシテ該疾病ハ全ク独立ノ急性疾患ニ属シ同人カ告知セサリシ前叙既往症ニ基因シタルモノニ非サルヲ以テ同人ノ死亡ト不告知ノ既往症トノ間ニ何等因果関係ナク仍ホ当時妊娠中ナリシ事実ハ生命ノ危険測定ニ関スル重要ナル事項ニアラストシ上告人ハ被保険者松衛ノ死亡ニ因ル本件保険金支払ノ義務ヲ免レ得サルモノト為シ被上告人ノ本訴請求ヲ認容シタルモノトス然レトモ被保険者松衛ノ死因タル疾病カ仮令直接不告知ノ既往症ニ基因シタルモノニ非サルニモセヨ斯ル既往症ヲ有シ而モ妊娠中ノ者ハ普通ノ健康体ニシテ妊娠中ニ非サル者ニ比シ疾患ニ対スル抵抗力ヲ減弱シ延テ或ハ死ノ転帰ヲ招来スル虞ナキヲ保セサルコト実験則上明白ナルカ故ニ右既往症及妊娠ノ事実ト死亡トノ間ニ輙ク因果関係ノ存在ヲ否定シ得サルモノアリト云ハサルヲ得ス原審ハ宜シク叙上ノ点ヲ考査シタル上因果関係ノ存否ヲ判定スヘキニ拘ラス前叙ノ如ク単ニ直接ノ死因タル疾病カ不告知ノ既往症ニ基因

シタルモノニ非サルノ故ヲ以テ漫然其因果関係ノ存在ヲ否定シ去リタルノミナラス前叙妊娠ト死亡トノ関係ニ付テハ何等ノ考慮ヲ払ハス輙ク被上告人ノ請求ヲ認容シタルハ審理不尽若クハ実験則ニ反シテ事実ヲ認定シタル違法アルヲ免レス」（大判昭一一・一二・一九判決全集三・三・二五）。

なお、昭和二六年一二月一九日の東京地裁判決は、肺浸潤の既往症と死因たる腸結核との間に因果関係の存在を認めている（下級民集二・一二・一四五八）。

告知義務違反の対象となった事実と保険事故発生との間に因果関係がないことについては、保険契約者側において挙証責任を負う（大判大九・六・二民録二六・七八七）（なお、大判大五・二・七民録二二・八三は、第三者を保険金受取人とした場合においては、商法六四五条二項但書に保険契約とあるのは保険金受取人に該当するものとして解釈すべきである、と述べている）。

(三)　解約返戻金　約款では、解除の結果保険者が保険金支払の義務を免れる場合にも、いわゆる解約返戻金を保険契約者に払戻す旨を定めるのが通例である。

七　告知義務違反と錯誤及び詐欺との関係

一　総　説

民法九五条は法律行為の要素に錯誤あるとき意思表示を無効とし、民法九六条は詐欺による意思表示は取消しうるものとしている。商法は、前節まで見てきたとおり、保険契約者又は被保険者が危険測定上意味ある事実又は事項を告げず又はこれに関して不実のことを告げた場合を、告知義務違反の問題として処理しているのであるが、かような場合は、これを民法九五条・九六条の方面から観察して、錯誤又は詐欺の問題として把握することも可能ではないかと考えられる。

保険契約者又は被保険者に不告知又は不実告知があるときは、保険者は危険測定上意味ある事実・事項の認識に関して錯誤に陥ることが多いであろう。もっともこの錯誤は、保険契約からいえば、動機ないし縁由の錯誤であって内容の錯誤ではないから、これに民法九五条が当然に適用されるとはいえない。同条は元来意思の欠缺に関する規定であり、元来これが適用を予定されているのは意思表示の内容に錯誤がある場合だからである。しかし他方、動機の錯誤も、特に動機が表示せられて意思表示の内容とせられたときは、これを内容の錯誤と同様に取扱いうるということが、学説・判例上一般に承認せられている。そこで、いまもし、この理論が保険契約における危険測定上意味ある事実・事項に関する保険者の錯誤についても及ぼしうるものであるとすれば、保険契約者又は被保険者に不告知又は不実告知があった場合に、これに民法九五条を適用ないし類推適用する余地があることとなる。保険契約において当事者が重要事実を意思表示の内容とする場合とは、実はその重要事実の存在をいわば解除条件とした場合か、その重要事実に起因する事故について保険者免責を約したものと認むべき場合か、そのいずれかであるから、錯誤による無効の問題は遂に生じない、とする学説があるが（野津・新法学全集保険法一一二頁）、いわゆる動機を意思表示の内容とするとは、必ずしも明示的たるを要せず、動機が黙示的に意思表示の内容とせられたと認むべき場合をも含むのであるから、危険測定上意味ある事実・事項に関する錯誤に民法九五条を適用ないし類推適用する余地が全くないとはいえない。

つぎに、危険測定上意味ある事実又は事項に関する不告知又は不実告知があった場合に、民法九六条の適用の要件がみたされることがあるのは、容易に考えられるところである。同条にいわゆる詐欺による意思表示とは、他人の欺罔行為によつて錯誤に陥つたためにこの錯誤にもとづいてなされた意思表示をいうが、この場合の錯誤は必ずしも意思表示の内容に関するものであることを要せず、また沈黙も欺罔行為たりうるからである。もつとも、詐欺の成立のためには、就中相手方を欺罔して錯誤に陥れようとする意思がなければならないから、不告知又は不実告知が常に当然に詐欺の成立要件を満すものとはいえない。不告知又は不実告知が、保険者を欺罔してこれを錯誤に陥れようとする意思をもつてなされる場合に、詐欺の成立要件が満たされることとなる。

以上のように、保険契約者又は被保険者に危険測定上意味ある事実・事項に関する不告知又は不実告知の行為がある場合には、同時に民法九五条又は九六条の適用の要件が満たされることがあると考えられる。そこで、これら民法九五条又は九六条と告知義務に関する商法の規定との関係いかんという問題を生ずる。危険測定上意味ある事実又は事項に関して不告知又は不実告知の行為があつた場合に、これに商法の告知義務に関する規定のほか民法九五条又は九六条を適用することができるか。その意味で、これら民法の規定は告知義務に関する商法の規定によりその適用を排除せられるものではないと解すべきか。それとも、危険測定上意味ある事実又は事項に関する不告知又は不実告知は、商法の告知義務に関する規定によつてのみその効果を判断さるべく、その意味で民法総則の規定は適用を排除されると解すべきか。およそかような問題である。

二　判例の態度の沿革

この問題に関して、大審院の態度は、はじめかなり動揺した。関係判決を年代順に掲げて、その内容を簡単に説明しよう。

(一)　明治四〇年一〇月四日大審院判決(民録一三・九三九)　本判決は、被保険者が小学校の教員であるのに貿易商であるという虚偽の告知をした事案に関して、告知すべき事項は被保険者の生命の危険測定上重要な事項であり、本件の場合は重要事項について不実のことを告げたことにはならないとしたものであるが、その判決理由中において民商両法の規定の関係に言及し、重要事項でないものについて不実の告知があったときは告知義務違反は成立しないが、民法総則の規定による無効取消の主張はこれを妨げない――その意味で、民法総則の規定は告知義務に関する規定によりその適用を排除せられるものではない――と述べた。

なお、従来、本判決は、詐欺又は錯誤があるときは常に民法の規定のみによるべく、商法の規定はその適用を排除せられる旨を判示したものと解されているようである(例えば、小町谷・前掲三五〇頁・三五一頁参照)。判決録でも、判決要旨として、「被保険者に人違あるか又は詐欺の申込をなしたるときは、民法総則の規定により其契約無効に帰し又は之を取消すことを得るものとす。従って、商法第四百二十九条はこの場合に適用すべきに非ず」という文章を掲げてある。しかし、本件の事案にかんがみ、かつ上告理由とつきあわせて判決理由を読むときは、本判決は私が前段に述べたような意味のことを説いていると解するのが適当であると思う。

上告理由及び判決理由は、つぎのとおりである。

【123】（上告理由）「原判決ハ理由不備ノ不法アリ原判決ハ『審按スルニ商法第四百二十九条ニ規定セル重要ナル事実又ハ重要ナル事項トハ生命保険契約ノ要素タル危険ヲ測定スルカ為ニ必要ナル事実ヲ指示スルモノナルヲ以テ』ト説明シ更ニ又『若シ被保険者カ生命ニ危険多キ職業ニ従事セルニ拘ラス之ヲ隠蔽シ不実ノ申告ヲ為ス如キ場合ニハ同条ノ適用ヲ受クヘキハ勿論ナリト雖小学校教員ト貿易商トノ如キ危険ノ多少ニ付二者間毫モ軒輊ナキ職業ナリ』又『被保険者ノ疾病及其血族ノ疾病死因若クハ被保険者カ他ニ生命保険ノ申込ヲ為シ之ヲ拒絶セラレタル事実等ノ如キハ危険測定ニ必要ナル事実ナリト雖モ他会社ニ生命保険ノ申込ヲ為シタル事実若クハ他会社ト契約ヲ締結シタル事実ノ如キハ被保険者ノ死亡ナル事実ノ発生ヲ測定スルニ何等ノ資料タルヘキモノニ非ス』ト判示セラレタリ然レトモ原判決ニ所謂『生命保険契約ノ要素タル危険』トハ如何ナル危険ヲ指示セラレタルモノナルヤ否ヤ原判決中何等ノ説明ナキヲ以テ之ヲ知ルコトヲ得ス今原判決後段ノ文旨ヲ見レハ『被保険者ノ生命ニ危険多キ職業ニ従事セルニ拘ラス云々』又『被保険者ノ死亡ナル事実ノ発生ヲ測定スルニ何等ノ資料タルヘキモノニアラス云々』ト説明セラレタルニ依レハ或ハ原判決ハ被保険者ノ生命ニ対スル危険ヲモッテ契約ノ要素タル危険ナリトナサレタルカ如キ観アリト雖モ生命ノ危険ノミカ保険契約ノ要素タル危険ニ非ス何トナレハ被保険者ノ人違ナルヤ否ヤ無資力者ニアラサルヤ否ヤ詐欺ノ申込ニアラサルヤ否ヤ等何レモ保険契約ノ要素タル危険ニシテ保険会社ハ此等ノ危険ヲ予防スルノ必要アルヘケレハナリ現ニ原判決後段ノ説明ニモ『他会社ヘ保険ノ申込ヲ為シ之ヲ拒絶セラレタル事実ハ危険測定ニ必要ナル事実ナリ』ト判示セラレ而シテ此申込及拒絶ノ事実ハ第八点ニ陳述スル如ク生命ニ何等関係ナキ場合多々ナルニモ拘ラス原判決カ危険測定ニ必要ナル事実ナリト判示セラレタルニ依テ見レハ其所謂要素タル危険トハ生命ニ対スル危険ノミヲ指示セラレタルニアラサルコトヲ知ルニ足ル果シテ然ラハ原判決カ商法第四百二十九条ヲ解釈シ『重要ナル事実又ハ事項トハ生命保険契約ノ要素タル危険ヲ測定スルカ為ニ必要ナ

ル事実ヲ指示スルモノナリ』トノ説明ニ依リテハ未タ其要素タル危険トハ如何ナル危険ナルヤヲ知ルコトヲ得サルヲ以テ結局原判決ハ裁判ニ理由ヲ付セサル不法アリ」

（判決理由）「依テ審按スルニ原判決カ商法第四百二十九条ニ規定スル重要ナル事実又ハ事項トハ生命保険契約ノ要素タル危険ヲ測定スルカ為メ必要ナル事ヲ指称スト云ヒタル其危険トハ被保険者ノ生命ニ関スルモノナルコトハ本論旨中ニ掲記スルカ如ク其判旨前段ノ理由ニ徴シテ明瞭ナリ而シテ上告人カ本点ニ於テ論スル被保険者ノ人違又ハ詐欺ノ申込ノ如キハ民法総則ノ規定即チ同第九十五条又ハ第九十六条ニ依リ其契約ハ無効タリ又ハ之ヲ取消スコトヲ得可キモノタレハ此ノ如キ場合ニ商法第四百二十九条ヲ適用スヘキ謂ハレアラサルナリ」（大判明四〇・一〇・四民録一三・九三九。なお、大判明四〇・一〇・四民録一三・九五五にも、これと全く同一の上告理由及び判示がある）。

（二）　明治四四年三月三日大審院判決（民録一七・八五）　被保険者の既往症の不告知があり、保険会社が告知義務違反による保険契約の無効と詐欺を理由とする意思表示の取消とをあわせ主張した事件である。原審は、告知義務違反による無効の主張は保険者に過失あることを理由としてこれを容れず、詐欺による取消の主張は、民法九六条が告知義務に関する商法の規定によってその適用を排除せられることを理由として、これを拒けた（東京控判明四三・一二・一七新聞六九六・二三）。保険会社側が上告して、民法九六条はその適用を排除せられるものではないと主張したのに対して、大審院は、重要事項に関して詐欺があつた場合でも商法の規定のみを適用すべく、民法九六条はその適用を排除せられると解すべきであるとして、上告を棄却した。そして、民法九六条がその適用を排除されると解すべき理由として本判決があげているところは、第一に、商法六七八条（当時の四二九条）が保険契約に関する特別の規定であること、及び第二に、もし民法九六条の適用があるものとすれば、商法六七八条但書の趣旨が没却せられること、この二点である。なお、最初にかかげた明治四〇年一〇月四日の判決との関係については、本判決は、この前の判決は「特に同条の事実告知に関し判示したものではない」から本件に適切でない、と述べている。

【124】　「上告論旨ハ原判決ハ上告人（保険会社）カ係争保険契約カ詐欺ニヨリ成立シタルモノナルコトヲ原因トシテ之カ取消ヲ為シタルモノナルコトヲ認メナカラ右取消ニ関スル民法ノ規定ヲ適用セスシテ商法第四百二十九条但書ヲ適用シ上告人ノ控訴ヲ棄却シタルモノニシテ法則ヲ不当ニ適用シタルノ違法アルヲ免レス即チ其理由ニ曰ハク『保険契約ニ特有ナル保険契約者又ハ被保険者カ保険者ニ対シテ負担スル被保険者ノ生命ニ関スル危険ヲ測定スルニ重要ナル事項ノ告知義務ニ関シテハ独リ商法第四百二十九条カ絶対的ニ適用セラルルモノニシテ此範囲ニ於テハ民法総則詐欺ノ規定ノ適用ヲ除外スヘキモノト解スヘシ云云』（中略）『若シ仮リニ同告知義務ニ関シ民法総則詐欺ノ規定ヲ適用シ得ルモノトセン乎保険者ハ保険契約ノ成立ヲ不利益トスル場合ハ必スヤ告知義務ニ随伴スル詐欺ヲ理由トシテ該契約ヲ取消スヘキヲ以テ同商法第四百二十九条但書ノ適用ヲ見ルヘカラサルニ至リ法カ同条但書ニヨリ保険契約者又ハ被保険者等ヲ保護セントスル趣旨ヲ没却スルノ結果ヲ生スレハナリ云云』ト判示セリト雖モ商法第四百二十九条但書ノ規定ハ畢竟保険契約者又ハ被保険者カ単ニ告知義務ヲ怠リタルニ過キサル場合ノミニ適用スヘキモノニシテ民法総則ノ規定ノ適用アル詐欺其他ノ特定手段ヲ加ヘタル悪意ノ場合ニ関シ取消ノ効果ヲモ除外シタルモノト解スルハ不当ナリ若シ原院ノ如ク解セハ同条ノ規定ハ過失者ヲ責メテ重大ナル責任ヲ負担セシムルト同時ニ悪意ニ基キ特ニ欺罔手段ヲ加ヘタル者ヲ絶対的ニ保護スルノ結果ヲ生シ実ニ狂暴至極ノ規定ト謂ハサルヘカラス法ノ精神豈如斯不当ヲ予期セルモノナランヤ又原院判決ハ『商法第四百二十九条ニ規定スル悪意ニヨル告知義務ノ違背アルトキハ殆ト常ニ詐欺ノ随伴スヘキハ寔ニ観易キ理ニシテ而カモ同詐欺ニ付キ民法総則ノ明規アルニ拘ハラス特ニ商法第四百二十九条ヲ規定シタルハ該告知義務ニ関シ民法総則詐欺ノ規定ニ対スル特別規定ヲ設ケタ

ルモノト謂ハサルヘカラス云云』ト判示セリト雖モ悪意ニ基ツク告知義務違背ノ場合ト雖モ必スシモ詐欺ヲ随伴スヘキモノニアラス詐欺ヲ伴ハサル告知義務ノ違背敢テ想像スルニ難カラサルヘシ果シテ然ラハ商法第四百二十九条但書ノ規定カ全然民法総則規定ノ例外規定ヲ為スモノト解スルハ不当ナリ要スルニ原院カ商法第四百二十九条但書ノ場合ハ常ニ民法詐欺ニ関スル規定ヲ除外セルモノト断セルハ不当ニシテ特ニ詐欺手段ヲ加ヘタル本件ノ如キ場合ニ関シテハ当然民法総則詐欺ニ関スル規定ノ適用アルヘキモノト謂ハサルヘカラサルノミナラス仮ニ商法第四百二十九条但書ノ規定カ民法総則ノ規定ト特別規定ヲ為スモノトスルモ同条ハ単ニ無効ニ関スル例外規定タルニ過キサルコト条文一見明瞭ニシテ詐欺ニ関スル取消ノ例外ト認ムヘキニアラサルヤ勿論ナリ無効ニ関スル例外ハ有効ナリ取消ハ有効ノ行為タルコトヲ前提トス果シテ然ラハ無効ニ関スル例外規定ナルコトヲ以テ直チニ取消ニ関スル例外ナリト解スルハ実ニ不当ノ解釈ナリ現ニ御院明治四〇年判決ニ於テモ『被保険者ニ人違アルカ又ハ詐欺ノ申込ヲ為シタルトキハ民法総則ノ規定ニ依リ其契約無効ニ帰シ又ハ之ヲ取消スコトヲ得ルモノトス従テ商法第四百二十九条ハ此場合ニ適用スヘキモノニアラス』ト判示セラレタル点ヲ参酌スルモ原院判決ノ不法ナルコトヲ推知スルニ難カラスト云フニ在リ

仍テ按スルニ商法第四百二十九条ノ規定ハ保険契約ニ関スル特別ノ規定ニ属シ苟モ之ニ該当スル場合ニ於テハ重要ナル事実ノ告知ニ関シテ保険契約者又ハ被保険者ニ詐欺ノ行為アリタルトキト雖モ全然之ヲ適用スヘキモノニシテ詐欺ニ関スル民法総則ノ規定ヲ適用スヘキ限リニ在ラス而シテ同条ノ規定ハ其前段ニ該当スル場合ニ於テハ保険契約ヲ無効トスルモ保険者カ其事実ヲ知リ又ハ之ヲ知ルコトヲ得ヘカリシトキハ其契約ヲ有効トシ其事実鑑識ノ責ヲ保険者ニ帰セシメル趣旨ニ出テタルモノト解スルヲ相当トスルヲ以テ重要ナル事実ノ告知ニ関シテ詐欺ノ行為アリタルトキト雖モ同条ニ所謂保険契約者又ハ被保険者ノ悪意ニ因ル場合ニ包含シ苟モ保険者カ其事実ヲ知ルコトヲ得ヘカリシニ於テハ其契約ハ取消シ得ヘキモノニアラスシテ完全ニ効力ヲ有スルモノトス上告人ノ引用スル本院ノ判例ハ特ニ同条ノ事実告知ニ関シ判示シタルモノニ非サルヲ以テ本件ニ適切ナラス故ニ原判決ハ正当ニシテ上告論旨ハ其理由ナキモノトス」(大判明四四・三・三民録一七・八五)。

（三）　大正二年三月三一日大審院判決（民録一九・一八五）　本判決は、自己の雇人を義弟といつわりこれを被保険者として保険契約を締結した場合について告知義務違反の成立を認めた原判決（東京控判大一・一〇・一四新聞八三六・二二＝評論一商二三八）を破棄し、被保険者の身分いかんは被保険者の生命の危険測定上重要な事項とはいえないとしたものであるが、その判決理由中において、このような重要事項でないものの不告知については民法総則の規定を適用しうる旨を説いている。

【125】　「改正前ノ商法第四百二十九条ニ所謂重要ナル事実又ハ重要ナル事項トハ専ラ被保険者ノ生命ニ関シ危険ヲ測定スルカ為ニ必要ナル事実又ハ事項ヲ指シタルモノト解スヘキコトハ従来当院カ屢判例ニ於テ明示シタル所ナリ故ニ其以外ノ事実又ハ事項ニシテ保険者カ若シ之ヲ知ルニ於テハ契約ヲ締結セサルニ至ルヘカリシ事実又ハ事項ノ如何ニ重大ナルモノアリトスルモ此等ノ事実又ハ事項ハ一般意思表示ノ成立ニ共通シタル法則ノ適用ヲ受クヘキモノニシテ前記商法第四百二十九条ノ適用ヲ受クヘキ限リニ在ラス然ルニ原院ハ本件判決理由ニ於テ被上告人カ被保険者勝之甫ハ辰次郎ノ雇人ニ過キサルニ辰次郎ハ保険契約締結ニ際シ勝之甫ヲ義弟ナリト詐称シ重要ナル事項ニ付不実ノ告知ヲ為セルニ依リ本契約ハ無効ナリトノ抗弁ヲ為シタルニ対シ右商法第四百二十九条ニ所謂重要ナル事項トハ主トシテ生命ノ危険測定ニ関スルモノナルハ勿論ナレトモ直接ニ生命ノ危険測定ニ関スル所ナキモ保険者カ若シ之ヲ知ルニ於テハ契約締結ヲ妨クヘカリシ事項ハ亦之ヲ重要ナル事項ナリトスヘシ云々トノ前提ノ下ニ被保険者勝之甫カ辰次郎ノ雇人ニ過キサルニ辰次郎ハ保険契約締結ニ際シ之ヲ義弟ナリト詐称シタリトノ何等右勝之甫ノ生命ノ危険測定ニ必要ナラサル事項ヲ以テ之ヲ前記商法第四百二十九条ニ所謂重要ナル事項ナリトシ上告人ニ敗訴ヲ言渡シタルハ前記法条ヲ不当ニ適用シタル違法アルモノト云ハサルヘカラス何トナレハ被保険者タルヘキ者カ単ニ一農家ノ雇人ナリトスルモ将タ雇人ニ非スシテ其主人ノ義弟ナリトスルモ斯カル社会上ノ地位ノミノ等差ニヨリテハ其者ノ生命ニ対

スル危険ニ付テノ等差アルヘキ謂ハレナキカ故ニ此ノ如キ事項ハ前説明ニ所謂生命ニ付テノ危険測定ニ必要ナル事項トイフヲ得サレハナリ」(大判大二・三・三一民録一九・一八五)。

(四)　大正三年五月一六日大審院(刑事部)判決(刑録二〇・九〇三)　被保険者の糖尿病の既往症をかくして保険契約を締結し、やがて被保険者が死亡して保険金の支払を受けた者が、詐欺の疑で起訴された。保険会社がこの公訴に付帯して公訴被告人に対し不法行為による損害賠償の請求をした。大審院は、保険会社は民法の詐欺に関する規定により取消をした上でないと保険金の返還を求めえない、告知義務に関する商法の規定は民法の詐欺に関する規定の適用を排除するものではない、と述べた。従来の民事部の判決、ことに明治四四年三月三日判決(民録一七・八五一)に反する見解が採用せられたこととなる。

【126】　「私訴上告趣意書第二審判決ハ民事被告人ノ抗弁ヲ理由ナキモノトシテ其理由中ニ本訴ハ保険契約ノ解除又ハ取消ヲ事由トシテ保険金ノ返還ヲ求ムルモノニアラスシテ不法行為ヲ原因トシテ其損害ノ賠償ヲ請求スルモノナルコトハ其主張自体ニ依リ明ナルヲ以テ保険契約ノ解除セラレサルト否トハ何等ノ関係ナク云云トアレトモ民事被告人カ民事原告人ヨリ得タル保険金ハ有効ニ成立セル保険契約ノ履行ヲ受ケタルモノニシテ該保険契約ノ締結ニ付テ民事被告人ニ詐欺行為アリシヤ否ヤハ全ク別個ノ問題ニ属ス殊ニ民事原告人カ隠蔽セリト主張スル既往症ハ糖尿病ニシテ被保険人ノ死亡原因ハ肺炎ニシテ其間ニ何等ノ関係ナキニ於テハ民事被告人カ保険金ヲ騙取セリトノ主張ハ益々其根拠ナキモノト云ハサルヘカラス仮リニ詐欺ニ因リテ保険契約ヲ締結セルモノトスルモ詐欺ニ係ル意思表示ハ当然無効ナルニアラス殊ニ商法第三百九十九条ノ二ノ規定アリテ民事原告人ハ契約ノ解除権ヲ有シ解除権ヲ行使スルニ於テハ何等損害ノ発生スルコトナク若シ又法定期間内ニ解除権ノ行使ヲ怠リシ為メニ発生セシ損害ナリトスレハ民事被告人ニ於テ之カ賠償ニ応スヘキ

理由無キナリ殊ニ商法第三百九十九条ノ二ノ規定アル以上ハ本件事実ノ如キ場合ニ直チニ民法第七百九条ノ規定ヲ適用スルコトハ法則ノ適用ヲ誤レリト云ハサルヘカラスト云フニ在リ

依テ按スルニ人ヲ欺罔シテ法律行為的意思表示ヲ為サシメ其法律行為ヲ原因トシテ財物又ハ財産上ノ利益ヲ得タル場合ニ於テ其法律行為カ要素ノ錯誤ニ因リ成立セサルトキハ詐欺罪ハ完全ニ成立スルト同時ニ被害者ハ犯人ニ対シテ直チニ贓物ノ返還又ハ損害賠償ヲ請求スルヲ得ルコト及其法律行為カ単ニ取消シ得ヘキ場合ト雖モ詐欺罪ノ成立ヲ妨クルコトナシト雖モ被害者ハ直チニ贓物ノ返還又ハ損害賠償ヲ請求スルコトヲ得ス之ヲ為スニハ其法律行為ヲ取消スコトヲ必要トスルコトハ当院従来ノ判例ニ依リテ認メラルル所ニシテ後ノ場合ニ於テハ其法律行為ハ犯人ノ欺罔ニ因リ成立シタルモノナリトスルモ其行為ノ存スル限リハ犯人ハ法律上ノ原因ナクシテ不当ニ利得ヲ為シタルモノト謂フコト能ハサルヲ以テナリ而シテ犯人カ欺罔手段ヲ用ヒ保険業者ヲシテ保険契約ヲ締結セシメタル場合ニ於テモ同一ノ原則ヲ適用シ保険契約ハ要素ノ錯誤ニ因リ不成立ナルトキハ保険業者ハ直チニ犯人ニ対シ其契約ニ基ツキ払渡シタル保険金ノ返還ヲ請求シ得ルト同時ニ其契約カ取消シ得ヘキモノタルニ過キサルトキハ之カ取消ヲ為シタル後ニアラサレハ保険金ノ返還ヲ請求スルコトヲ得サルモノトス而シテ被保険人カ保険契約ヲ締結スルニ付キテ重要ナル事実ヲ隠蔽シ又ハ重要ナル事項ニ付キ不実ノ事ヲ告ケタル場合ニ付キテハ商法第四百二十九条ニ特別規定アリ其契約ハ保険業者ニ於テ之ヲ解除スルコトヲ得ヘキモノト為セルモ同条ノ規定ハ民法総則ニ規定スル法律行為ノ無効及ヒ取消ニ関スル法則ト互ニ相妨クルコトナキヲ以テ被保険人カ保険業者ヲ欺罔シテ保険契約ヲ締結シタル場合ニ於テハ保険業者ハ民法第九十五条〔「第九十六条」の誤植であろう〕ノ規定ニ従ヒテ其契約ヲ取消シ該契約ニ基ツキ支払ヒタル保険金額ノ返還ヲ不法行為又ハ不当利得ヲ原因トシテ請求スルコトヲ得ヘシ今原判決ニ認ムル事実ニ依リ本件当事者ノ権利関係ヲ按スルニ上告人カ被上告会社ヲ欺罔シテ保険契約ヲ締結セシメ因テ以テ本件ノ保険金ヲ領収シ刑法第二百四十六条ニ規定スル詐欺罪ヲ犯シタルモノナルコトハ公訴判決ニ認ムル所ニシテ上告人ノ施用シタル欺罔手段ハ単ニ保険契約ノ客体タルヘキ坂本大吉ノ健康状態ニ関スルモノニシテ上告

人ノ為メニ欺カレタル被上告人ノ錯誤ハ保険契約ノ要素ニ属セサルヲ以テ其契約ハ当然無効ニアラスシテ取消シ得ヘキニ過キサルモノトス果シテ然ラハ被上告人ハ保険契約ノ取消ヲ為シタル上ニアラサレハ上告人ニ対シ損害ノ賠償ヲ請求スルコトヲ得サルモノナルニ原院カ此点ニ付キ事実ヲ確実セスシテ輙スク被上告人ノ賠償ノ請求ヲ採用シタルハ理由不備ナル違法ノ裁判ニシテ上告論旨ハ理由アリ原判決ハ破毀ヲ免レサルモノトス」(大判大三・五・一六刑録二〇・九〇三)。

(五)　大正三年六月五日大審院判決(新聞九五〇・三〇)　本判決は、(三)の判決の差戻後の上告審判決である。「危険測定に必要なる事実又は事項」に関して不告知又は不実告知があったときは、詐欺があっても商法の規定のみを適用すべく、民法の規定はその適用を排除されると解すべきであるが、「危険の測定に必要でない事実又は事項」に関する不告知又は不実告知があり、保険者がもし事実を知れば契約を締結しなかったであろうと認められるような場合には、民法規定の適用を妨げないとし、詐欺を理由とする取消を認めた原判決(東京控判大二・一二・四評論二商四二〇)を維持した。

【127】「改正前ノ商法第四百二十九条ハ保険契約ニ関スル特別ノ規定ニシテ同条ニ所謂重要ナル事実又ハ重要ナル事項ハ被保険者ノ生命ニ関シ危険ヲ測定スルカ為メ必要ナル事実又ハ事項ヲ指スモノナレハ保険契約者若クハ被保険者カ危険ノ測定ニ必要ナル事実又ハ事項ヲ告ケス若クハ不実ヲ告ケタル場合ハ詐欺ノ行為アリタルトキト雖モ同条ノ規定ヲ適用スヘクシテ民法ノ規定ヲ適用スヘキ限リニアラサルモ危険ノ測定ニ必要ナラサル事実又ハ事項ニ付キ不実ノ申告ヲ為シ保険者カ若シ之ヲ知ルニ於テハ契約ヲ締結セサルヘカリシカ如キ場合ハ一般意思表示ニ関スル民法ノ規定ヲ適用スヘク前示商法ノ規定ヲ適用スヘキニ非サルコト明治四十四年(オ)三十四号事件ニ付キ同年三月三日言渡シタル本院判決及ヒ本件ニ付大正二年三月三十一日本院

ノ言渡シタル判決ニ於テ説示スル所ナリ本件ノ事実ヲ考フルニ原院ノ確定セル所ニ依レハ保険契約者佐藤辰次郎ハ被上告会社ヲシテ保険契約ヲ締結セシムル目的ノ下ニ雇人トシテ何等親族関係ナキ佐藤勝之甫ヲ自己ノ義弟ナリト詐称シテ保険契約ノ申込ヲ為シ依テ被上告会社ヲ錯誤ニ陥ラシメ勝之甫ヲ被保険者トセル本訴保険契約ヲ締結セシメタルモノナリ而シテ保険契約者カ雇人ヲ義弟ナリト詐称シ被保険者ノ社会上ノ地位ニ付不実ノ申込ヲ為シタルカ如キハ被保険者ノ生命ニ関スル危険ノ測定ニ必要ナル事項ニ付キ不実ノ申告ヲ為シタルモノト謂フ可カラサレハ此ノ場合ニ於テハ商法第四百二十九条ヲ適用スヘキニ非スシテ民法ノ規定ヲ適用スヘキコト前説明ノ如クニシテ更ニ言ヲ俟タサル故ニ原院カ民法ノ規定ニ従ヒ詐欺ニ因ル本訴保険契約ヲ取消シ得ヘキモノト為シタルハ正当ニシテ論旨ニ謂フ如キ不法アルモノニ非ス」（大判大三・六・五新聞九五〇・三〇）。

（六）　大正四年一一月二九日大審院刑事部判決（刑録二一・一九九三）　これも、保険金を詐取した疑いで起訴された者に対し、保険会社が付帯私訴により保険金の返還を求めた事件に関するものである。被保険者の胸膜炎の現症が告知せられなかった。原審は、保険者に過失あることを理由として告知義務違反にもとづく解除の主張を拒けたが、民法九六条はその適用を排除せられるものではないとし、保険者の取消の主張を認めた。本件大審院判決は、この原判決を維持した。

【128】「商法第四百二十九条但書ノ規定ハ曩ニ本院判例（大正三年（れ）第一七九号）ニ認ムル如ク民法第九十六条取消ニ関スル規定ノ適用ヲ妨クルモノニ非サレハ原判決カ此趣旨ニ於テ被害者ノ取消権ヲ認メ不法行為ヲ原因トスル損害賠償請求権アリト為シタルハ違法ニアラス」（大判大四・一一・二九刑録二一・一九九三。判批、竹田・商法判例批評一巻二九頁）。

（七）　大正五年四月二二日大審院判決（新聞一一五一・三〇）　保険者が、被保険者の既往症の不告知があると主張した事案に関するものである。原審は、被保険者に重要事実たる既往症があったことは認められないとして、告知義務違反による解除の主張を拒けた。保険会社が上告して、民法の錯誤及び詐欺に関する規定の適用があることを主張したのに対し、大審院は、かりにこれらの規定の適用があるとしても、「保険契約の当時保険契約者又は被保険者が該事由を告げざりし一事は、右契約の重要なる要素に付き錯誤を惹起し、又は右契約を以て詐欺に因る意思表示と為すに足らざるもの」であるとした。民商両法の規定の関係いかんの問題について一義的な断定を下すことを避けているのが注目される。

（八）　大正六年九月六日大審院判決（民録二三・一三一九）　やはり、被保険者の既往症の不告知があつた事案に関するものである。原審は、不告知にかかる本件被保険者の既往症は重要事実ではないとして、告知義務違反による解除の主張はこれを容れず、錯誤による無効の主張については、既往症の不告知により保険者が錯誤に陥つたとしてもかような場合には民法九五条の適用がないとし、また詐欺による取消の主張に関しては、不告知により「ことさらに保険者をして本件保険契約締結の意思を決定せしめんとしたる意思の存せし事実を認むるに足る証拠なきをもつて、単に前記既往症を告げず却て既往症なしと告げたる事実のみを以てしては未た同人が詐欺を行ないたるものと云うを得ず」とし、いずれもこれを拒けた。保険会社側が上告したが、大審院は、保険者に被保険者の既往症に関する錯誤があつたとしても、当事者が合意によりかかる事項を契約の要素とした旨の主張がない以上、この錯誤は要素の錯誤とはいえなく、また保険者をして錯誤により契約締結の意思を決定表示せしめる意思をもつてその告知をしたのでなければ詐欺ありといえない、として原判決を維持した。

大審院が、民法規定の適用の問題に関する上告人の主張を拒けるのに、民法規定は告知義務に関する商法の規定によりその適用を排除せられるという理論をもつてせず、民法規定の適用の具体的要件が満たされていないことをもつてした点に注意すべきである。本判決は、民事部の判決であるが、これまでの民事部の判決と異なり、民法規定は当然にその適用を排除せられるものではない、という理論を基礎としているといえる。

（九）　大正六年一二月一四日大審院民刑事聯合部判決（民録二三・二一一二）　案件の被保険者は、保険契約締結の際に、その肋膜炎の既往症を告知しなかつた。被保険者が死亡して保険金受取人が保険金の支払を求めたのに対して、保険会社は、告知義務違反にもとづく解除と、錯誤による無効及び詐欺による取消をあわせ主張した。原判決（東京控判大五・一〇・五評論五商七三八）は、不告知にかかる被保険者の既往症は重要事実であるが、被保険者は医師より単に神経性の心悸亢進であると告げられ肋膜を冒されているという事実を全然覚知しなかつたものと認められ、また保険会社の診査医は相当の注意を用いて診査したならば被保険者が肋膜炎にかかつていた事実を容易に知りえたはずであるとして、告知義務違反による解除の主張はこれを認めず、保険者の他の抗弁については、錯誤及び詐欺に関する民法総則の規定は告知義務に関する商法の規定によつてその適用を排除せられる、として、結局保険会社を敗訴させた。

保険会社側が上告した。上告理由は、錯誤及び詐欺に関する民法の規定は告知義務に関する商法の規定によりその適用を排除せられるものではないとした先の大審院刑事部の二判決を指摘して、大審院の現時の見解はこの線に改められているものとみるべきであると述べ、かつ理論上もこれが正当であることを詳論した。

理論の統一をはかる必要を感じたのであろう。大審院は、民刑事聯合部を開いた。そして、明治四四年の商法改正以前、すなわち告知義務違反あるとき保険契約を無効とする規定の下においては、錯誤及び詐欺に関する民法の規定は告知義務に関する商法の規定によりその適用を排除されると解すべきであったけれども、告知義務違反の効果として解除権の発生を認めるに止まる改正規定の下においては、錯誤及び詐欺に関する民法の規定は告知義務に関する商法の規定によりその適用を排除されないに至ったものと解すべきであると判示し、原判決が保険契約の要素に錯誤があったか否かの判定をしていないのを違法として、これを破棄した。そして、現行法の下においてかように解すべき理由として本判決があげているところは、要するに、錯誤及び詐欺に関する民法の規定は、いずれも告知義務に関する商法の規定とその適用の要件及び効果を異にする、ということである。

【129】（上告理由）「原判決理由ニ於テハ『商法第四百二十九条ノ規定ハ保険契約ニ関スル特則ニシテ生命ノ危険ヲ測定スル事項ノ告知ニ関シテハ民法総則中ノ詐欺及錯誤ニ関スル規定ノ適用ヲ排斥スルモノ』トノ見解ヲ採ラレタレトモ上告代理人ハ此見解ニ服スルコトヲ得ス蓋シ原院ノ解釈ハ曾テ御院ニ於テモ判例トセラレタル所ナリト雖モ御院刑事部ニ於テハ其後大正三年(れ)第百七十九号私訴事件〔筆者註、刑録二〇・九〇三〕ニ於テ『商法第四百二十九条ノ規定ハ民法総則ニ規定スル法律行為ノ無効及取消ニ関スル法則ト互ニ相妨クルコトナキ』旨判示セラレ近ク大正四年(れ)第一九八二号事件判決（判決録二十一輯二〇〇八頁）ニ於テモ尚之ヲ維持セラレ居ルヲ以テ之ト反スル旧キ民事部ノ判例ハ自ラ変更セラレタルモノト解スヘク従テ原院ノ見解ハ現時ニ於ケル御院判例ノ趣旨ニモ背反スルモノト云フヘキノミナラス元来告知義務ニ関スル規定ト民法総則ノ規定トハ之ヲ告知義務制度ノ精神ニ照スモ将又規定ノ対照上ヨリスルモ決シテ排他的関係ノモノニ非サルコトヲ知ルニ足ルヘシ蓋告知義務ノ規定ハ専ラ保険者ノ利益ノ為ニ存スル制度ニシテ則保険

者ニ対シ吾人ノ通常契約締結ニ際シ有スル事ナキ特殊ノ権能即相手方ヨリ契約材料ノ提供ヲ受クルノ利益ヲ付与スルヲ以テ趣旨トス然ルニ告知義務ノ規定アルノ故ヲ以テ民法総則ノ適用ヲ除外スヘキモノトセハ保険者ハ此制度ノ為ニ却テ著ク不利益ヲ蒙ムルニ至ルヘク到底正当ナル解釈ト云フヲ得ス且原院ハ商法第四百二十九条ヲ以テ特別規定ナリト云フモ普通規定特別規定ノ関係ハ規定カ重複スル場合ニ非サレハ之ヲ認ムルコトヲ得ス然ルニ今試ニ民法総則ノ詐欺ト悪意ニヨル告知義務違背トヲ対比スルニ此部分ニ付テスラ決シテ法律規定ノ重複アリト為スヲ得ス何トナレハ詐欺ハ相手方ヲ誤信セシメ其誤信ヲ利用シテ之ニ因リ法律行為意思ヲ決定セシメントスルノ故意アルコトヲ要件トスルハ学説上一人ノ異論者アルヲ見サル所ナリ然ルニ告知義務違背ニ在テハ悪意ノトキト雖其所謂悪意トハ単ニ重要事実ノ存在ヲ知レルコトヲ意味スルニ過キスシテ苟モ知リテ之ヲ告ケサル以上ハ其告ケサル動機又ハ目的ノ如何ヲ問ハス当然悪意ニ因ル告知義務違背タルヘク詐欺ニ於ケルカ如キ故意ヲ要スルコトナシ即両規定ハ故意ノ点ニ於テ成立要件ヲ異ニスルモノト云フヘク決シテ同一ノ場合ヲ対象トスル重複規定ト為スヲ得ヘキモノニ非ス従テ此点ヨリ見ルモ漫然特別規定ナリト解シタル原判決ハ失当ナルノミナラス更ニ一歩ヲ譲リテ之ヲ重複規定ト解スヘシトスルモ法律ハ同一ノ事実ニ対シテモ異ナレル方面ヨリ各種ノ救済手段ヲ与フルコト其例ニ乏シカラス然ルニ保険者ノ契約解除権ハ何故ニ当然ニ他ノ救済手段ヲ排斥スルモノト解セサル可カラサルカ上告代理人ノ了解スル能ハサル所ナリ要之原院ノ見解ハ御院ノ判例ニ反シ且擬律錯誤ノ違法アリ破毀ヲ免レスト信ス」

（判決理由）　「仍テ按スルニ商法第四百二十九条所定ノ告知義務ハ保険事業ノ経営上保険者カ引受ケントスル危険ノ測定ニ重要ナル事項ヲ知ルノ必要アルヲ以テ最モ能ク之ヲ知ルヘキ地位ニ在ル保険契約者又ハ被保険者ニ対シ法律ヲ以テ特ニ負担セシメタルモノニ外ナラス而シテ同条改正前ノ規定ハ告知義務違反ノ効果トシテ保険契約ヲ無効トスルヲ以テ民法総則ノ詐欺及ヒ錯誤ニ関スル規定ト相容レス何トナレハ同条改正前ノ規定ニ依レハ苟モ告知義務違反ノ要件ヲ具備シタル場合ニ於テハ保険契約カ詐欺ニ因リテ締結セラレタルト否ト又其要素ニ錯誤アリタルト否トヲ問ハス其契約ハ既ニ無効ナルヲ以テ更ニ民法総則ノ規定ニ従ヒ詐欺

ヲ理由トシテ之ヲ取消スヘキ余地ナク又要素ノ錯誤ヲ理由トシテ之ヲ無効トスヘキ必要ナケレハナリ故ニ同条改正前ノ規定ハ民法総則ノ詐欺及ヒ錯誤ニ関スル規定ニ対シテ特別ナル規定ヲ為スモノト謂ハサルヲ得サルヲ以テ前者ハ之レヲ適用セラルヘキ範囲ニ於テ後者ノ適用ヲ排除スルモノト解釈セサルヲ得ス是レ本院カ同条改正前ノ規定ニ依リタル判例（明治四十四年(オ)第三十四号同年三月三日第二民事部判決）ニ於テ是認スル所ナリ然ルニ同条ノ改正規定ハ告知義務違反ノ効果トシテ保険者ニ於テ保険契約ヲ解除スルコトヲ得ル旨ヲ定メ其契約ヲ有効トスルヲ以テ民法総則ノ詐欺及ヒ錯誤ニ関スル規定ト相容レサルモノト謂フコトヲ得ス何トナレハ同条ノ改正規定ニ依レハ告知義務違反ノ事実ヲ以テ単ニ契約解除ノ原因ト為スニ止マリ保険契約ノ成立ヲ害スルモノトセス其主眼トスル所ハ叙上ノ如キ保険事業経営上ノ必要ニ基キ保険者ヲ保護セントスルニ在ルコト明白ニシテ毫モ保険契約ニ意思ノ欠缺又ハ意思表示ノ瑕疵アルコトニ基因スルモノニ非サルヤ疑ヲ容レサル所ナレハ法律行為ニ欠缺瑕疵アルコトヲ根拠トスル民法総則ノ詐欺及ヒ錯誤ニ関スル規定ト其根拠ヲ同フセス従テ告知義務違反ト詐欺及ヒ錯誤トハ全然要件及ヒ効果ヲ異ニスルヲ以テ告知義務違反ノ事実ニ基キ保険契約ヲ解除スルコトヲ得ルカ為メニ詐欺又ハ要素ノ錯誤ニ基キ其契約ノ取消シ得ヘキコト又ハ無効ナルコトノ妨ト為ルヘキ謂レナケレハナリ故ニ同条ノ改正規定ハ民法総則ノ詐欺及ヒ錯誤ニ関スル規定ノ適用ヲ排除スルモノニ非スト解スルヲ相当トス是レ本院カ同条ノ改正規定ニ依リタル判例（大正三年(れ)第百七十九号同年五月十六日第三刑事部判決）ニ於テ是認スル所ニシテ未タ之ヲ変更スヘキ理由アルヲ見ス然ルニ原裁判所カ同条ノ改正規定ヲ解釈シテ民法総則ノ詐欺及ヒ錯誤ニ関スル規定ノ適用ヲ排除スルモノト判決シタルハ違法ナリ而シテ上告人カ原審ニ於テ提出シタル抗弁ノ趣旨ハ告知義務違反ノ事実アリトシ之ニ基キ保険契約ヲ解除シタル旨ヲ主張シタル外ニ尚ホ右契約ハ被保険者カ肋膜炎ニ罹リタル事実アルニ拘ラス上告人ニ於テ之ナキモノト信シテ締結シタルモノニシテ其要素ニ錯誤アルヲ以テ当然無効ナリ仮ニ然ラストスルモ右契約ハ被保険者カ肋膜炎ニ罹リタル事実ヲ隠蔽シタルカ為メ上告人ハ欺カレテ締結シタルモノナルヲ以テ其詐欺ニ基キ右契約ヲ取消シタリト云フニ在ルコトハ原判文ニ引用セル第一審判文中ノ事実摘示

ニ徴シ明白ナリ而シテ原裁判所カ認定シタル事実ニ依レハ被保険者タル清宮卯吉カ肋膜炎ニ罹リタル事実ヲ全然自覚セス遂ニ之ヲ知ラスシテ右契約ヲ為シタルモノナルコト判文上明白ナレハ右契約ノ当時卯吉カ故ニ事実ヲ隠蔽シテ上告人ヲ欺キタルニ非サルコト自明ナリ従テ右詐欺ニ関スル上告人ノ抗弁ハ到底維持スルコトヲ得サルヲ以テ原裁判所カ之ヲ排斥シタルハ結局相当ナルニ帰シ此点ニ関スル上告論旨ハ採用スルコトヲ得ス然レトモ右契約ノ要素ニ錯誤アリトノ抗弁ニ付テハ原判文中其錯誤ニ関スル事実ヲ確定シタル所アルヲ見ス抑モ保険契約ニ於ケル危険ノ測定ニ重要ナル事項ハ其契約ヲ締結スルノ縁由タルニ過キスシテ其内容ヲ為ササルヲ常トスルモ而カモ通常意思表示ノ縁由ニ属スヘキ事項ト雖モ当事者カ之ヲ以テ其意思表示ノ内容ト為スコトハ妨ケサル所ニシテ之ヲ主観的及ヒ客観的ノ両標準ニ基キ判断シテ其内容ニ付キ民法第九十五条ニ所謂要素ノ錯誤アルモノト認メ得ヘキ場合ナキニ非サルコトハ本院判例ノ示ス所ナリ（大正二年(オ)第六百八十三号同三年十二月十五日第一民事部判決参看）故ニ保険契約ニ於ケル危険ノ測定ニ重要ナル事項ニ関スル錯誤ハ絶対ニ其契約ノ要素ノ錯誤ト為ルコトナシト謂フコトヲ得サレハ原裁判所ハ本件ノ場合ニ於テ果シテ上告人主張ノ如ク保険契約ノ要素ニ錯誤アリタルヤ否ヤ若シ其錯誤アリタリトセハ表意者タル上告人ニ重大ナル過失ナカリシヤ否ヤヲ判定シテ其抗弁ノ当否ヲ決セサルヘカラサルニ事玆ニ出テサリシハ違法タルヲ免レス本件上告ハ此点ニ於テ理由アルヲ以テ爾余ノ論点ニ対シ説明スルニハ及ハス」（大判大六・一二・一四民録二三・二一一二。判批、竹田・京法一三巻八三八頁、松本・私法論文集三巻五五八頁）。

（一〇）　大正六年一二月一七日大審院判決（民録二三・二一四二）　被保険者の既往症の不告知があった事案に関するものである。原判決は、告知義務違反による解除権の有無については判断することなく、詐欺による取消の主張を認めた（東京控判大六・九・一五評論六商五四三）。なお、保険契約者は本件の保険契約に関し詐欺罪の訴追を受け、名古屋控訴院で有罪の確定判決があった。上告理由は、詐欺に関する民法の規定は商法の規定によりその適用を排除せられることを主張した。大審院は、民法の規定の適用が排除せられるものとすれば、保険者は商法の規定があるためかえつて不利益を受けることとなり、保険者の利益の保護を目的とする商法四二九条の趣旨が没却されるとし、上告を棄却して原判決を維持した。さきの民事刑事聯合部判決の理論を踏襲したものといえる。

【130】「保険契約者又ハ被保険者ノ告知義務ニ関スル商法第四百二十九条ノ規定ハ保険事業ノ性質ニ鑑ミ保険者ニ対シ危険ノ測定ニ必要ナル材料ノ提供ヲ相手方タル保険契約者又ハ被保険者ヨリ受クルコトヲ得ヘキ特殊ノ権能ヲ付与シタルモノニシテ即チ主トシテ保険者ノ利益ノ為メニ設ケタルモノナルヲ以テ詐欺又ハ錯誤ニ関スル民法総則ノ適用ヲ除外スルモノニ非ス若シ商法第四百二十九条ノ規定アルノ故ヲ以テ縦令保険契約者又ハ被保険者カ保険者ニ対シ詐欺ヲ加ヘタル場合ニ於テモ民法第九十六条ニ依リ其法律行為ヲ取消スコト能ハサルモノトセハ保険者ハ右商法ノ規定アルカ為メニ却テ不利益ヲ受ケサルヘカラサルノ結果ニ陥リ法カ保険者ノ利益ヲ保護スルカ為メニ設ケタル商法第四百二十九条ノ精神ヲ没却スルニ至ルヤ明カナリ原判決ノ認ムル所ニ依レハ上告人ハ本件保険契約ヲ締結スルニ当リ被上告会社ヲシテ被保険者西垣志んカ肺病ニ罹リタルコトナキ健康体ナルコトヲ信セシムル為メ詐術ヲ用ヒ依テ被上告会社ヲ錯誤ニ陥レ此錯誤ニ基キ保険契約ヲ締結セシメタリト云フニ在ルヲ以テ原判決カ被上告会社ハ民法第九十六条第一項ニ依リ詐欺ニ因ル意思表示トシテ本件保険契約ノ取消ヲ為スコトヲ得ヘシト判示シタルハ相当ニシテ論旨理由ナシ（大正六年十二月十四日言渡同五年（オ）第九百六十九号民刑聯合部判決参照）」（大判大六・一二・一七民録二三・二一四二。判批、松本・私法論文集三巻五五八頁）。

なお、上告理由は、本件の場合保険会社に過失（診査過失）があることは明らかであり、保険者に過失があるときは取消をなしえないものと解すべきである、という主張も試みたが、大審院は、保険者に過失があるときでも民法九六条を適用することを妨げない、と判示した。

【131】「告知義務ニ関スル商法第四百二十九条ハ詐欺ニ因ル法律行為ノ取消ニ関スル民法総則ノ規定ヲ除外スルモノニ非サルカ故ニ本件ノ如ク詐欺ニ因リ締結シタル保険契約ノ取消ヲ為スニ付テハ民法第九十六条ノ規定ニ則ルヘク商法第四百二十九条第一項但書ノ支配ヲ受クヘキモノニ非ス」（【130】と同一判決）。

（一二）　大正六年一二月二二日大審院判決（新聞一三三八五・二七）　被保険者の既往症の不告知に関するものである。原審は、民法規定が適用を排除せられることを理由として保険会社の民法九六条による取消の主張を拒けた。大審院は、民法規定はその適用を排除されるものではないとして原判決を破毀した。しかし、大審院は、その理由としては、さきの聯合部判決を指摘するに止まつている。

以上において、告知義務に関する商法の規定と錯誤及び詐欺に関する民法総則の規定の関係いかんの問題に言及している大審院の判決をとりあげ、その内容を概観した。いま、大審院の態度の変遷を要約すると、大体つぎのようなことになるであろう。

大審院民事部は、はじめ、重要な事実又は事項について不告知又は不実告知があつた場合と、重要でない事実又は事項について不告知又は不実告知があつた場合とを区別した。そして、前の場合には、錯誤又は詐欺に関する民法の規定はその適用を排除されるが、後の場合には、錯誤又は詐欺に関する民法の規定はその適用を排除されるものではないとした（【123】【124】【125】【127】）。それに対し、大審院刑事部は、この両場合を厳密に区別することなく、民法総則の規定は告知義務に関する商法の規定によつてその適用を排除せられるものではない、とする立場によつた（【126】【128】）。その後、民事部も刑事部と同様の立場によるかのような態度を示し（大判大六・九・六民録二三・一三一九）、後これが聯合部判決によつて確認せられた（【129】）。聯合部判決によれば詐欺及び錯誤に関する民法の規定は、告知義務に関する商法の規定によつてその適用を排除せられるものではない。この聯合部判決の理論は、その後の判決によつて支持されており（【130】及び大判大六・一二・一二新聞一三八五・二七）、以後これを正面から変更した判決があるのを聞かない。一応これが現在の判例の見解であるといつてよいであろう。

三　現時の判例理論

現時の判例理論によれば、錯誤及び詐欺に関する民法総則の規定は告知義務に関する商法の規定によつてその適用を排除せられるものではない。従つて、保険者は、商法の告知義務に関する規定によつては告知義務違反が成立せず、解除をなしえずまた保険金支払の義務を免れないときでも、民法九五条・九六条の適用の要件が満たされている限り、これによる無効・取消の主張をすることを妨げない。そして、このように解すべき理由は、錯誤及び詐欺に関する民法の規定はいずれも告知義務に関する商法の規定とその適用の要件及び効果を異にするものであり（【129】）、また、民法規定がその適用を排除されるものとすれば、保険者は商法規定あるがためかえつて不利益を受ける結果となり、保険者の利益の保護を目的とする商法の告知義務に関する規定の趣旨が没却される（【130】）というにある。

しかし、ここに一つ注意すべきことがある。それは、危険測定上意味ある事実・事項に関する保険者の錯誤に民法九五条を適用ないし類推適用して実際に保険契約を無効とした判決の数は、実は、極めて少ないということである。さきにあげた【129】の判決によれば、危険測定上重要な事項は、通常は縁由であるが、当事者がこれを意思表示の内容とすることは差支えなく、そのような場合には民法九五条にいわゆる要素の錯誤あるものと認めらうべき場合がないではない、ということであった。その後の事件で、保険者がかような理論にもとづき錯誤による無効を主張しているものは、かなり多い。しかしその主張は、大抵の場合裁判所によって拒けられているのである（例えば【132】【133】【134】【135】【136】）。多くの場合、裁判所は、これを意思表示の内容としたとは認められないといっている。錯誤による無効の主張を容認した判決は極めて少数であって、私の寡聞をもってすれば、わずかに一つの下級裁判所判決をあげうるのみである【137】。してみれば、錯誤に関する民法の規定は告知義務に関する商法の規定によりその適用を排除されないとするのが判例の立場であるとはいっても、危険測定上意味ある事実又は事項に関する錯誤による保険契約の無効の主張が実際に裁判所において認められる公算は甚だ少ないといわねばならない。

【132】　上告理由は、被保険者の既往症不告知により保険者に重要事項に関する錯誤を生じ、そしてこの錯誤は民法九五条により保険契約を無効ならしめる錯誤であると主張した。それに対し裁判所はつぎのようにいう。

「生命保険契約ニ於テ保険金保険料保険期間等カ当事者ノ意思表示ノ内容ヲ成スモノニシテ所謂保険契約ノ要素ト称スヘキモノナルコトハ所論ノ如クナルモ被保険者ノ身体上ニ存スル事故ニシテ危険ノ測定ニ影響ヲ及ホスヘキ重要事項ノ如キハ寧ロ保険契約ヲ締結スルノ縁由タルニ過キサルヲ通常トシ特ニ当事者カ之ヲ以テ意思表示ノ内容ヲ組成スヘキモノト為シタル場合ノ外契約ノ要素ニ属スルモノニ非スト為スヲ相当トス本件ニ於テ原院カ被保険者家柳きゆうノ契約締結当時ニ於ケル疾病状態ハ其生命ノ危険測定ニ影響ヲ及ホスヘキ重要事項ニ該当スルモノナルモ右事実ハ単ニ保険契約ヲ締結スルニ至ル縁由ニ外ナラスシテ契約其モノ

ノ要素ヲ為スモノニ非スト解スルヲ妥当トスル旨判示セルニ依テ之ヲ観レハ原院ハ家柳きゆうノ健康状態ヲ以テ当事者意思表示ノ内容ヲ為ス事実ニアラスト為シタルモノナルコト明白ナレハ上告人ノ其錯誤ヲ理由トスル契約無効ノ抗弁ヲ排斥シタル原判決ハ正当ニシテ本論旨ハ理由ナシ」（大判大七・四・五民録二四・五三九。判批、竹田・京法一三巻一五七九頁）。

【133】「本件契約ノ締結セラレシコトハ控訴人ノ自白スルトコロ又其締結前幸吉カ明治生命保険株式会社ニ対シ保険契約ノ申込ヲ為シタルコトハ被控訴人ノ自白スルトコロナリ而シテ此契約ハ結局不成立ニ了リシコトヲ本件契約当時已ニ幸吉ニ於テ知悉シ居リタルコトハ被控訴人ノ供述自体ニ徴シ明白ナルモ前掲会社ヨリ幸吉ニ対シ拒絶ノ意思ヲ発表シタリトノコトハ之ヲ認ムヘキ証拠無キカ故ニ控訴人ノ所謂拒絶ノ事実ハ存在セサリシモノト云ハサルヘカラス従ヒテ拒絶アリシトノコトヲ前提トスル控訴人ノ各抗弁ハ総テ理由ナシ曾テ他ノ保険会社ト契約ヲ締結セントセシモ結局不成立ニ了リシトノコト自体ハ其性質上商法ニ所謂重要ナル事実ト云フヲ得サルカ故ニ此点ニ関スル控訴人ノ抗弁モ亦理由無シ如上不成立ノ無カリシコトハ当事者間ニ於テ特ニ之ヲ要素ト定ムレハ格別（而モ本件当事者ニ於テ斯カル定アリシコトヲ認ムヘキ証拠無シ）爾ラサル限リ保険契約締結ノ縁由トハ為ルヘキモ其要素ト目サレ得サルカ故ニ錯誤ノ抗弁モ亦理由無シ」（東京控判大七・一〇・二二評論七商六六九）。

【134】「控訴人代理人ハ本件契約ハ其要素ニ錯誤アルヲ以テ無効ナリト抗争スルモ既往症ノ有無ハ保険契約ノ通常ノ場合ニ於テハ意思表示ノ縁由ト見ルヘク之ヲ以テ保険契約ノ要素ナリト解スルニハ当事者間ニ於テ特ニ之ヲ以テ意思表示ノ内容ト為スノ意思アリト認定シ得ヘキ場合ナラサルヘカラス然ルニ本件保険契約ニ於テ肋膜炎ナル既往症ノ存在セサルコトヲ其契約ノ内容ト為シタリトノ事実ヲ徴スルニ足ル何等ノ証左ナキカ故ニ此点ニ関スル控訴人代理人ノ抗弁モ亦失当タルヲ免レス」（東京地判大七・一二・二〇評論七商八二九）。

【135】「保険契約ニ於テ人ノ生命ノ危険測定ニ重要ナル関係ヲ有スル事実ヲ以テ保険契約ノ内容ト為スコトハ敢テ之ヲ妨クヘキニアラスト雖モ特ニ之ヲ以テ意思表示ノ内容ト為シタル事実ノ認ムヘキモノナキ限リハ右ノ如キ事実ハ保険契約ヲ締結スルノ縁由タルニ過キサルモノトス従テ此点ニ関シ錯誤アルモ是レ縁由ノ

錯誤ニ過キスシテ法律行為ノ要素ナリトスルヲ得ス本件保険契約ニ於テ右既往症（癲癇及び脚気）ノ存在ヲ特ニ意思表示ノ内容ト為シタルカ如キ事実ト（「事実ハ」の誤植であろう）乙各号証ニ依ルモ毫モ認ムルヲ得サルカ故ニ若シ平瀬夏助ニ右ノ如キ既往症アルコトヲ知悉シタリセハ被告会社ハ或ハ同人ヲ被保険者トシテ本件保険契約ヲ締結スルコトナカリシトスルモ此ノ如キハ本件保険契約ヲ締結スル縁由ニ錯誤アリタルニ過キスシテ其要素ニ錯誤アリタルモノト解スルヲ得ス」（東京地判大九・三・一一評論九商三八）。

【136】「被告訴訟代理人ハ此ノ如キ既往症（軽症の梅毒）アリタルコトハ契約当時被告会社ノ知ラサリシ処ナレハ本件契約ハ其ノ内容ニ誤（「錯誤」の誤植か）アルニヨリ当然無効ナリト主張スレトモ被保険者ノ身体ニ存スル危険測定ニ影響スヘキ事項ノ如キハ特ニ反証ノ認ムヘキモノナキ限リ通常保険契約締結ノ縁由ナルニ過キスト解スヘク而シテ之ヲ以テ契約ノ内容ヲ組成スヘキモノト為シタル点ニ附テハ何等ノ証左ナキヲ以テ此点ノ抗弁モ亦認容スルコトヲ得ス」（東京地判大一〇・六・一一評論一〇商二二七）。

【137】「被保険者カ本件ノ如ク現ニ肺結核ニ冒サレ而カモ病勢増進中ナリトノ事実ノ如キハ生命ノ危険ヲ測定スルニ極メテ重要視スヘキ事項ナルコト固ヨリ論ナキトコロナリ而シテ保険者カ危険測定ニ重要ナル事項存スル場合ト雖モ或ル一定ノ条件ヲ附シテ保険契約ヲ締結スルノ事例ナキニアラサルヲ以テ危険ノ測定ニ重要ナル事項ハ通常保険契約締結ノ縁由タルニ止マルモノト看ルヲ妥当トスルモ当事者ハ之レヲ以テ意思表示ノ内容トナスコトハ固ヨリ妨ケナキトコロナレハ本件当事者ハ本訴保険契約ニ於ケル危険ノ測定ニ最モ重要視スヘキ被保険者直記ノ前掲ノ疾患ヲ以テ単ニ同契約締結ノ縁由ニ属スルモノトナシタリヤ否ヤハ更ニ判定ヲ要スル問題ナリ按スルニ本件保険契約ハ三〇ケ年満期ノモノニシテ大正二年六月三〇日ヲ始期トシ大正三二年六月二九日ヲ終期トナス前掲ノ事実保険金額ハ四千円ニシテ普通一般ノ事例ニ比スレハ敢テ少額ト看ル可ラサル事実控訴人カ右直記ノ診査医ノ問ニ対スル告知書（中略）ヲ徴シ以テ同人ノ血族中結核ニ罹レル者ノ有無同被保険者カ既往一年間ニ医療ヲ受ケタルコトノ有無並ニ現在ノ自覚健康状態等ノ告知ヲ求メタル事実（中略）並ニ当審証人鈴木熊太ノ証言ニ依リテ認メ得ヘキ被控訴人村山直次郎ハ本件保険契約ノ際控訴

人方ノ勧誘員タル森本徳次郎ノ問ニ対シ直記ノ写真ヲ示シ同人ハ長崎ノ学校ニ修学中ノ者ニシテ極メテ壮健ナル旨申述ヘタル事実ヲ彼此対照シテ覈フルトキハ保険者タル控訴人ハ被保険者村山直記ノ健康状態ノ如何ヲ極メテ重要視シ若シ直記ニ前認定ノ如キ病勢増進中ノ肺疾患アルコトヲ知レルニ於テハ必スヤ本件契約ヲ締結スルノ意思ナカリシコトヲ推認スルニ難カラスシテ而シテ之レヲ取引ノ通念ニ訴フルモ保険者カ斯ル事実ヲ知ルニ於テハ本件ノ如キ少ナカラサル金額ノ保険契約ハ之ヲ拒絶シテ締結セサルモノト観ルヲ合理的トナスカ故ニ本訴ノ契約ハ其要素ニ錯誤アリ始メヨリ無効ナリト論断スルヲ相当トス」（東京控判大七・三・一三新聞一四〇三・二一＝評論七商二六二）。

民法の詐欺に関する規定の適用については、このような事情はない。詐欺に関する民法総則の規定は告知義務に関する商法の規定によってその適用を排除せられるものではないという判例の理論は、額面通り受取ってよいと思われる。なお、「詐欺とは他人をして錯誤に因りて或意思を決定表示せしむる為めに故意に事を隠蔽若くは虚偽して表示することの謂ひ」であるから、たとえ告知義務者が事実を告げず又は不実の告知をしたため保険者がこれを信じて契約締結の意思を表示したとしても、告知義務者において「保険者をして錯誤に因りて契約締結の意思を決定表示せしむる意思を以てその告知を為したるに非ざる限りは詐欺を行ないたるものと」（大判大六・九・六民録二三・一三一九）なしえないことはすでに述べたとおりである。

四　特約による変更

普通保険約款においては、特に詐欺による保険契約について、詐欺による保険契約はこれを無効とし、保険者が受領した保険料は返還しない旨を定めるのが通例である（この趣旨の規定は、すでに明治四四年の模範約款に見られる）。

民法九六条は詐欺による意思表示を取消しうるものと定めているから、右のような約款の規定は、まずこの点を変更して、詐欺による保険契約は取消をまたず当然無効であるとする趣旨と解される。さらに、詐欺による保険契約が無効であるならば、保険者は保険金支払の義務を免れ、すでに支払った金額についてはその返還を請求しうることになるとともに、保険者が受領した保険料も返還することを要するのではないかという疑問が生ずるが、右のような約款規定は、保険料は返還することを要しない旨を明定してこの点を明瞭ならしめたものと解される（もっとも、この後の点については、商法六七八条により生命保険に準用される商法六四五条の類推適用によって、保険者は受領した保険料の返還を要しないと解することも可能であろう。なお、商六四三参照）。

かかる特約は有効である（大判昭九・二・八刑集一三・五三、東京控判昭七・三・三一新聞三七〇七・一五＝評論二三商二六五＝新報三六七・一七、大阪地判昭二・一二・一六新聞二七八三・一一＝評論一七商一五三、東京地判昭一一・六・二九新報四四一・二四）。

五　学　説

告知義務に関する商法の規定と錯誤及び詐欺に関する民法の規定との関係をどうみるかについては、学説上も種々議論があり、見解が分れている。判例と同様の見解をとる学説もあるが、判例の理論に反対の学説もある。反対の学説には、さらに種々の内容のものがある。

大森教授は、判例と大体同じく、告知義務に関する商法の規定と錯誤及び詐欺に関する民法の規定は、その根拠、要件及び効果を異にする相互に独立のものであることを理由として、民法の規定は商法の規定によってその適用を排除せられるものではない、とされる（大森・保険法一四三頁。同説、大森＝田辺＝操野・前掲七三頁、竹田・商法判例批評一巻二九頁、同・京法一三・八三八、同・京法一三・一五七九）。そして、反対説については、「民法の適用は排除される、とする説は、そうでなければ不可争期間を設けて保険者の解除権を制限する趣旨を無にする、という理由を挙げるが、逆に、錯誤・詐欺がある場合にこれによる無効・取消をみとめないとすれば、保険者は不当に不利益を受けることとなる（ことに詐欺の場合、加入者を不当に保護することになる）。従って右のような政策論だけからはいずれとも判定することはできないと考える」といわれる（保険法二三七頁）。

松本博士は、判例と正反対の見解をとられる。同博士によれば、錯誤及び詐欺に関する規定は、いずれもその適用を排除せられると解すべきものである。その理由は、もし錯誤に関する規定が適用を排除されないものとすれば、告知義務に関する法則のうち、加入者側のものの保護を目的とするもの（告知義務違反の成立に悪意・重過失の存在を要求する法則、保険者に悪意又は過失あるときは解除をなしえないとする法則、解除権の除斥期間、因果関係不存在の場合に保険金の支払を命ずる法則）は、その趣旨を没却せられる。つぎに、詐欺については、詐欺による意思表示も錯誤による意思表示であることは詐欺によらない場合と同じであるから、詐欺に関する民法の規定の適用も、錯誤のそれと同様に解すべきである、というにある。なお、同博士は、立法論としては、詐欺による取消は認めるのがよいかもしれない、とされる（松本・保険法一〇八頁、同・私法論文集三巻五五八頁）。

三浦博士及び野津博士は、錯誤については重複適用の有無の問題を生ずる余地がなく、詐欺に関する規定についてはその余地があるが、民法の規定は商法により適用を排除される、と説かれる（三浦・告知義務論一五四頁・三〇二頁、同・保険法論一七四頁、野津・新法学全集保険法一一二頁、同・保険法に於ける信義誠実の原則一八六頁）。

小町谷博士は、錯誤と詐欺とを区別し、錯誤に関する民法の規定は適用を排除せられるが、詐欺に関する民法の規定は適用を排除されないとされる（小町谷・海上保険法総論一巻三五三頁。同説、伊沢・保険法一七九頁、田中誠二・新版保険法一七六頁）。錯誤の場合には保険契約者に害意がないからこれを保護するのが適当であり、詐欺の場合には保険契約者を保護する必要がない、というのがその理由である。

六　私　見

私は、錯誤の場合と詐欺の場合とを区別して考える必要があると思う。以下、この両場合に分けて、判例の態度を論評しよう。

（一）　錯　誤

判例は、動機が意思表示の内容とされたときは（黙示的に内容をしたのでもよい）、これに関する錯誤は内容の錯誤と同様に取扱いうる、という動機の錯誤の一般理論を、保険契約における危険測定上意味ある事実・事項に関する錯誤にも及ぼし、これが意思表示の内容とせられたときはその錯誤は民法九五条により保険契約を無効たらしめるとしている。この理論はいかなる結果を生ぜしめるか。それを端的に示しているのは、前出の大正七年三月一三日の東京控訴院判決である（【137】）。この判決は、被保険者の既往症の不告知があつた場合につき、民法九五条によつて保険契約を無効としたものであるが、動機が意思表示の内容とされたと認めうる理由として本判決が説いているところは、要するに保険者は被保険者の健康状態いかんを極めて重視しており、もし保険者が被保険者の既往症を知つたならば、取引の通念上保険者は契約を締結しなかつたであろうと認められる、ということである。思うに、動機の錯誤に関する一般の理論の適用の仕方という観点のみからみるならば、この判決が説いているところは必ずしも誤りではあるまい。また、動機の錯誤に関する一般の理論を保険契約における危険測定上意味ある事実・事項に関する錯誤に及ぼして、保険契約を無効とするためには、本判決のような論法を用いるより他に方法はまずないと思われる。しかしながら、もしこのような論法によって保険契約を無効となしうるのであれば、危険測定上意味ある事実・事項に関する不告知又は不実告知があるときは、そのすべての場合に錯誤による無効を認めうるといっても過言でない。不告知又は不実告知にかかる事実・事項が重要なものでないときでも、告知義務者に悪意・重過失がないときでも——従って商法の規定によれば告知義務違反は成立しないときでも——、保険契約を無効となしうることとなるであろう。保険者に過失があっても、因果関係不存在のときでも、また解除権の除斥期間が経過した後においても——従って商法では保険者が保険金支払義務を免れないときでも——、保険契約を無効とするに妨げないこととなるであろう。しかしこれでは、一体商法は何のために告知義務に関して特別の規定をおき、告知義務違反の要件・効果に関し種々細かい法則を設けたのか、その理由がわからなくなってしまう。商法の告知義務に関する規定は、存在の理由を失ってしまう。

動機が意思表示の内容とせられたときは動機の錯誤も内容の錯誤と同様に取扱いうるという一般の理論については、私は別に異存はない。しかし、これを保険契約における危険測定上意味ある事実・事項に関する錯誤に及ぼすことについては、私は疑問を感ぜざるをえない。これを認めると、告知義務に関する商法上の法則の多くが、その存在理由を失うに至るからである。多数の判例は、動機の錯誤に関する一般の理論を保険契約における危険測定上意味ある事実・事項に関する保険者の錯誤にも及ぼしうるという前提に立ちながら、動機を内容としたことを容易に認めないことによつて保険契約を無効とすることを避けており、この後の態度は極めて正当であると思うが、これは、実は、その前提そのものが不適当であることを自ら物語つているにほかならない。私は、告知義務に関する商法の規定は、むしろ動機の錯誤の特別の場合を定めたもの――いいかえれば、動機が意思表示の内容とされたときはこれに関する錯誤は内容の錯誤と同様に取扱いうるということが動機の錯誤に関する一般法であり、告知義務に関する商法の規定は、保険契約締結の際の危険測定上意味ある事実・事項に関する錯誤という一つの特殊な動機の錯誤に関する特別法――、であるとみて、危険測定上意味ある事実・事項に関する錯誤については、民法九五条の適用ないし類推適用は排除されると解すべきではないかと考える。

(二)　詐　欺

詐欺に関する民法九六条と告知義務に関する商法の規定との関係については、判例の理論が正当であると思う。民法九六条はその適用を排除せられるものではないと解すべきである。詐欺は、特に相手方を欺罔する意思を含むことを要する点において告知義務違反と異なり、両者に関する規定は、相互に一般法と特別法の関係にあるものとはいえない。詐欺の要件が満たされている場合に、これによる取消を認めても、告知義務に関する商法の規定がその存在理由を失うとは考えられない。逆に、詐欺に関する規定の適用が排除せられて保険者はこれによる取消ができないとすれば、詐欺を行なつた者が、告知義務に関する商法の規定があるため、かえつて保護されるという不当な結果となる。

区裁判所判例

地方裁判所判例

判例索引

大審院判例

控訴院判例

著者紹介

中《なか》西《にし》正《まさ》明《あき》　京都大学助教授

総合判例研究叢書　商　法 (8)

昭和37年10月25日　初版第1刷印刷
昭和37年10月30日　初版第1刷発行

著作者　中　西　正　明

発行者　江　草　四　郎

東京都千代田区神田神保町2ノ17

発行所　株式会社　有　斐　閣

電話九段 (331) 0323・0344
振替口座東京370番

印刷局朝陽会・稲村製本

総合判例研究叢書 商法(8)(オンデマンド版)

2013年5月15日 発行

著 者 中西 正明

発行者 江草 貞治

発行所 株式会社 有斐閣
〒101-0051 東京都千代田区神田神保町2-17
TEL 03(3264)1314(編集) 03(3265)6811(営業)
URL http://www.yuhikaku.co.jp/

印刷・製本 株式会社 デジタルパブリッシングサービス
URL http://www.d-pub.co.jp/

AG489

ISBN4-641-91015-4

Printed in Japan

澤井 繁男（さわい・しげお）

1954年、札幌市生まれ。高校時代から創作を始め、「有島青少年文芸賞」優秀賞受賞（札幌南高等学校時代）、上京して『第19次新思潮』の同人となる（東京外国語大学時代）。小説「雪道」にて、『200号記念北方文藝賞』、『第18回北海道新聞文学賞・佳作』を同時受賞（京都大学大学院時代）。その後、『三田文学』、『新潮』、『文學界』等に小説・評論・エッセイなどを発表。東京外国語大学論文博士（学術）。専門は、イタリア・ルネサンス文学文化論。元関西大学文学部教授。小説作品に、『若きマキアヴェリ』（東京新聞）、『復帰の日』（作品社）、『鬼面・刺繍』（鳥影社）、『三つの街の七つの物語』（未知谷）等が、評論・エッセイに、『臓器移植体験者の立場から』（中央公論新社）、『腎臓放浪記』（平凡社新書）、『生の系譜』（未知谷）、『京都の時間。京都の歩き方。』（淡交社）等が、イタリア関連書に、『魔術と錬金術』（ちくま学芸文庫）、『イタリア・ルネサンス』（講談社現代新書）、『ルネサンス』（岩波ジュニア新書）、『評伝カンパネッラ』（人文書院）、『自然魔術師たちの饗宴』（春秋社）等が、翻訳書に、E.ガレン『ルネサンス文化史』（平凡社ライブラリー）、W.J.バウズマ『ルネサンスの秋』（みすず書房）、ファーガソン他『ルネサンス――六つの論考』（国文社）、カンパネッラ『哲学詩集』（水声社、2020年度日本翻訳家協会・翻訳特別賞受賞）等がある。最新刊は『カンパネッラの企て』（新曜社）。

検証 伊藤整――戦時下と敗戦後の諸作品をめぐって

2021年３月28日　第１刷発行

編著者　澤井 繁男　SAWAI Shigeo
発行人　藤田 卓也　Fujita Takuya
発行所　藤田印刷エクセレントブックス
〒085-0042　北海道釧路市若草町３－１
TEL　0154-22-4165
FAX　0154-22-2546

印刷・製本　藤田印刷株式会社

ISBN 978-4-86538-117-7 C0095